PAIS CURADOS

Conselhos para pais sobre como quebrar o ciclo de negligência, abuso ou ausência parental

RICK JOHNSON

Vida

EDITORA VIDA
Rua Conde de Sarzedas, 246 — Liberdade
CEP 01512-070 — São Paulo, SP
Tel.: 0 xx 11 2618 7000
atendimento@editoravida.com.br
www.editoravida.com.br
@editora_vida /editoravida

Editor responsável: Gisele Romão da Cruz
Editor assistente: Marcelo Martins
Tradução: Juliana Kümmel
Revisão de tradução: Sônia Freire Lula Almeida
Revisão de provas: Josemar de Souza Pinto
Projeto gráfico: Claudia Fatel Lino
Diagramação: Carolina do Prado
Capa: Arte Peniel

PAIS CURADOS

■

Exceto em caso de indicação em contrário,
todas as citações bíblicas foram extraídas de
Nova Versão Internacional (NVI)
© 1993, 2000, 2011 by International Bible Society, edição
publicada por Editora Vida.Todos os direitos reservados.

Todas as citações bíblicas e de terceiros foram adaptadas
segundo o Acordo Ortográfico da Língua Portuguesa,
assinado em 1990, em vigor desde janeiro de 2009.

Todos os grifos são do autor, exceto indicação em contrário.

1. edição: maio 2018
1ª reimp.: ago. 2021
2ª reimp.: mar. 2022
3ª reimp.: jan. 2023
4ª reimp.: out. 2023

Dados Internacionais de Catalogação na Publicação (CIP)
(Câmara Brasileira do Livro, SP, Brasil)

Johnson, Rick
Pais curados : conselhos para pais sobre como quebrar o ciclo de negligência, abuso ou ausência parental / Rick Johnson ; [tradução Juliana Kümmel]. -- São Paulo : Editora Vida, 2018.

Título original: *Overcoming Your Toxic Parenting*
ISBN 978-85-383-0374-9

1. Criação de filhos - Aspectos religiosos - Cristianismo 2. Mudança de hábitos - Aspectos religiosos - Cristianismo 3. Pais - Aspectos religiosos - Cristianismo I. Título.

18-14580 CDD-248.845

Índices para catálogo sistemático:

1. Pais e filhos : Guias de vida : Cristianismo 248.845
Cibele Maria Dias - Bibliotecária - CRB-8/9427

Esta obra foi composta em *Adobe Caslon Pro*
e impressa por Gráfica Expressão e Arte sobre papel
Polen Bold 70 g/m² para Editora Vida.

Para Karen — por tudo que você merecia e não recebeu,
e por tudo que recebeu e não merecia,
você ainda tem uma vida maravilhosa pela frente!
Seja corajosa — você é mais do que pensa.
Estou tão orgulhoso de você.
Eu te amo.

SUMÁRIO

PREFÁCIO À EDIÇÃO BRASILEIRA

Ser pai é um privilégio e, ao mesmo tempo, um grande desafio. Privilégio porque não conheço relacionamento mais enriquecedor e abençoado do que criar filhos. Desafio porque, no processo de educação dos filhos, não há certeza e nem garantia do resultado do trabalho realizado. Com frequência preciso relembrar aos pais que os filhos não vêm prontos, eles se constroem. Quando o trabalho dos pais é bem feito, há pequena probabilidade dos filhos se perderem.

Os mandamentos para os pais, se excluirmos a graça de Deus e seu poder fiel que atua em nós, são impossíveis. Um pastor, por exemplo, só se qualifica se for "[...] irrepreensível, [...] que tenha filhos crentes que não sejam acusados de libertinagem ou de insubmissão" (Tito 1.6). Como um pai pode fazer um filho se converter? Como um pai pode controlar o comportamento dos filhos, principalmente quando ficam mais velhos?

A Escritura não deixa dúvidas quando declara que o Espírito convence do pecado (João 16.8), não o pai! Mesmo assim, a fidelidade e a graça de Deus são tão certas que funcionam como uma poderosa lei, sem a qual muitos pais fracassariam tragicamente.

Cada criança, seja de qual família for, será, com certeza, um desafio e uma tarefa. Para que signifiquem alegria, nós devemos desejá-las e amá-las. Ser pai/mãe é depender de Deus. Não existe filho igual! Cada um é uma bênção e um desafio único. A proposta de Deus é: filhos cristãos abençoados, capazes de gerar outros filhos cristãos e abençoados (2Timóteo 2.2). Paulo coloca assim: "Pais, não irritem seus filhos; antes criem-nos segundo a *instrução* e o *conselho* do Senhor" (Efésios 6.4). Não sei você, querido leitor, mas já passei por situações em que o filho não agia como "deveria". Eu, um pastor, estava com um filho que buscava o seu caminho e já não concordava comigo!

Passei um período em que a minha fé foi provada. Fazia a minha parte, ensinava, amava e apoiava, mas também suplicava, orava, pedia e insistia com o Senhor para que meu filho fosse alcançado. Ele, o Senhor, nunca falha, mas no processo a perna treme, as lágrimas brotam e somos quebrados diante da nossa limitação.

Quero animar você a fazer a sua parte e a depender de Deus para fazer a dele. Aliás, até para fazer a sua parte, você dependerá do Altíssimo! Por isso é tão importante estudar, conhecer, se aperfeiçoar, relembrar, treinar e se dedicar à criação dos filhos. Quando dependemos do Senhor, podemos nos lançar com confiança ao que disse o autor deste provérbio: "Ensina a criança no caminho em que deve andar, e, ainda quando for velho, não se desviará dele" (Provérbios 22.6, *ARA*).

O trabalho dos pais, em parceria com o Criador, produz filhos ligados forte e estavelmente a Deus por toda a vida. Isso tem o poder de atravessar gerações. A tarefa não é somente técnica e fria. Pelo contrário, a criação dos filhos pode fazer brotar em nós os sentimentos mais profundos de afeto e desejo de que outro seja feliz. É necessário "fazer da casa um ninho e não uma jaula", como disse a escritora Lya Luft, e isso começa com os primeiros toques e olhares entre o casal e prossegue com o filho que acaba de nascer. A ligação entre os pais e os filhos pode ser tão profunda, que o bem estar dos filhos se torna mais importante que o seu próprio.

Quando a paternidade está em discussão, algumas perguntas se impõem como necessárias: 1) Por que você decidiu ter filhos? 2) Quais os valores e as emoções que o influenciaram nessa decisão? 3) Quando você decidiu ter filhos, tinha a consciência de todas as implicações da missão de ser pai/mãe? 4) Qual é o perfil do pai/mãe ideal?

Ser pai é ser amigo, sacerdote, parceiro, irmão e companheiro de jornada. A paternidade é um grande privilégio que Deus concede ao homem, mas que apresenta igual peso de responsabilidade. Como pai, sempre me preocupei com a saúde integral dos meus filhos. Não basta ter filhos fisicamente saudáveis, se eles estiverem espiritual e emocionalmente doentes!

Vivemos tempos difíceis, em que o número de filhos abusados em lares disfuncionais é assustador. Tudo porque muitos pais reproduzem o padrão de comportamento dos seus próprios pais e não os padrões das Escrituras. A Igreja tem recursos, como sendo o corpo do próprio Cristo, para reprogramar e aperfeiçoar os pais a cada geração.

Repensar a família, a partir do exercício de uma paternidade/maternidade responsável, é reconhecer que mais importante do que deixar uma herança é deixar um legado para a próxima geração.

Nesta obra, o autor, Rick Johnson, com muita clareza e autoridade, traz ensinamentos que funcionarão como uma bússola para guiar e ajudar os pais a não repetirem os erros que seus pais cometeram. Ele mostra que os filhos são como *flechas* nas mãos do *guerreiro* (Salmos 127.4). Se o pai é o guerreiro, o destino das *flechas* está em suas mãos. Os pais que exercem essa missão com consciência não negligenciam o devido cuidado que cada filho merece e demanda.

Mesmo trabalhando há mais de trinta anos no ministério com famílias, fui extremamente enriquecido com as lições apresentadas nesta obra! Desafio vocês, pai e mãe, ou futuros pais, a ler e devorar esta obra e depois compartilhá-la e dividir estes preciosos ensinamentos com outros. Vamos contribuir para a cura dos pais que foram feridos, para que amanhã tenhamos filhos melhores.

Pr. Josué Gonçalves
Presidente do Ministério Família Debaixo da Graça

PRÓLOGO

Todos nós fomos criados em famílias disfuncionais. Algumas eram mais saudáveis e algumas, mais destrutivas, mas, como somos todos pecadores, todas eram disfuncionais. Quanto mais doentia a família, mais prejuízo é causado à criança. E esse prejuízo afeta a nossa vida adulta.

Mas, como a maioria das crianças, aceitamos que a forma com que fomos criados é semelhante à forma com que outros foram criados — afinal, era o normal. Pode ter havido abuso verbal, abuso físico, abuso sexual, e/ou isolamento e negligência. No entanto, continua sendo abuso, não importando como o disfarcemos. Se o que passamos estivesse acontecendo com uma família próxima a nós, não hesitaríamos em classificá-lo como abuso.

Como psicólogo, conselheiro e apresentador de um programa de rádio, converso com pessoas feridas quase todos os dias. A vida delas foi devastada pelo abuso que sofreram enquanto estavam crescendo. Às vezes, ao ouvi-las, fica muito evidente para nós que o problema é resultado direto das experiências da infância. Uma pergunta é tudo o que é preciso para que essa relação fique clara para as pessoas. Muitas vezes é como se nunca tivessem estabelecido uma relação entre os desafios de hoje e as experiências da infância de ontem. Em vez de apenas se restringirem ao passado, os pecados que lhes foram causados ainda agem na vida delas hoje.

Em *Superando a paternidade tóxica: como ser bons pais quando os seus não foram*, Rick Johnson escreveu um livro extremamente importante destinado a ajudar a pessoa comum a reconhecer, compreender e, em seguida, dar os passos para curar as feridas da infância. Em seguida, ele leva o leitor desde a compreensão da importância da educação, do aconselhamento profissional, do acompanhamento e do perdão a um processo estratégico que conduz à cura e a uma nova força e capacitação.

Conheci Rick no ano passado quando participamos da mesma programação em uma grande conferência sobre casamento. Depois de o ouvir e ver a resposta do público, posso afirmar que ele fala por experiência. E o que ele diz faz sentido na prática.

Você tem este livro em mãos porque sabe que é hora de deixar o passado no passado para que possa começar a viver com alegria, calma, contentamento e otimismo. E, acima de tudo, para que possa romper com os padrões de comportamento geracionais que podem com tanta facilidade levar a repetir as suas experiências de infância nos seus próprios filhos. Oro para que os relatos de outras famílias e os princípios deste livro comecem o processo de cura em você e na sua família a fim de que seja uma pessoa que transforma os padrões de comportamento geracionais. Os seus filhos dependem de você!

David Stoop, ph.D.,
autor de *Forgiving the Unforgivable*

INTRODUÇÃO

Praticamente todas as pessoas no Planeta desejam ser pais bons e amorosos. E, a não ser que sejamos criados por pais realmente bons, desejamos ser melhores pais do que os que nos criaram. Mas, para pessoas criadas por pais feridos, quebrantados ou mesmo maus, o desafio é como não apenas romper com os hábitos que foram transmitidos por esses pais, mas também descobrir um modelo saudável para pôr em seu lugar. É um desafio significativo porque não sabemos o que não sabemos. Não basta dizer que não queremos fazer o que os nossos pais fizeram — precisamos ter um modelo positivo para preencher esse vazio ou acabaremos retornando ao que conhecemos. Em períodos de estresse ou pressão, incorremos em velhos hábitos, repetindo o que nos foi apresentado como modelo quando crianças por aqueles que estavam permanentemente encarregados de nós. Isso resulta em dor, culpa e vergonha tanto nos pais como nos filhos, gerando ciclos de comportamento e feridas que serão passados de uma geração a outra.

Em vez de repetirmos o que nos foi ensinado por nossos pais quando crianças, não seria bom saber como "virar o jogo" e aprender a ser o tipo de pais que desejamos ser e que desejaríamos ter tido?

Qualquer pessoa que tenha vindo de uma vida familiar disfuncional entende como é difícil saber como sermos pais saudáveis. Para as pessoas que sofreram abuso ou abandono, essas feridas aumentam a nossa incapacidade de cuidar dos nossos próprios filhos adequadamente, principalmente se não entendemos e reconhecemos o que está motivando as decisões que tomamos. Mesmo que não tenhamos sofrido abuso, muitos de nós foram órfãos de pai ou mãe, ou cresceram como órfãos virtuais. Nenhuma orientação, às vezes, é pior do que uma orientação ruim. De qualquer forma, isso tende a perpetuar os ciclos ou as tendências negativas de geração em geração. Por exemplo, o nosso ministério trabalha com muitos homens na prisão. Muitos desses homens contam que seus pais e avôs também estiveram na prisão. Eles não queriam acabar na prisão, mas foi o legado que receberam. Também trabalhamos com muitas mães solteiras e seus filhos. Muitas dessas mães contam que suas avós foram mães solteiras, as mães foram mães solteiras, elas próprias foram mães solteiras e agora suas filhas são mães solteiras. Na verdade, elas nunca desejaram ser mães solteiras, mas foi esse o modelo que receberam. Consequentemente, tenderam a fazer escolhas (até mesmo inconscientemente) que as levaram a se tornar mães solteiras. E depois passaram esse padrão a suas filhas.

A frustração da maioria dos pais nessas circunstâncias é: "Como aprender a reprogramar o meu processo de pensamento para que possa fazer escolhas mais saudáveis?".

Aquelas decisões imediatas que tomamos sob o estresse e a pressão da vida cotidiana podem fazer toda a diferença em que tipo de pais nos tornamos. Romper esses ciclos de comportamento requer ensino e acompanhamento. Este livro pode ser um recurso significativo em proporcionar a parte educacional dessa equação.

Fui criado por uma mãe alcoólatra e violenta e por um padrasto narcisista, codependente e alcoólatra. Ao olhar para trás, vejo que muitas coisas doentias aconteciam na nossa casa, embora elas parecessem normais na época. Algumas dessas coisas não foram tão severas como traumas que outras pessoas tiveram que enfrentar e algumas foram muito piores. E certamente muitas ações que são consideradas abusivas hoje eram comportamentos normais nos anos 1960. Mas a severidade do abuso individual nunca é a questão. Abuso de qualquer tipo é abuso — e ele nos prejudica. Alguns dos traumas pelos quais meus irmãos e eu passamos incluíam ser estapeado no rosto repetidamente por minha mãe; ser surrado nu com um cinto e ficar com vergões e, às vezes, sair sangue (para um padrasto com raiva não importava muito onde o cinto acertava); ser xingado em público; sentir-se verbalmente diminuído ao ser criticado, humilhado e desprezado; ser obrigado a ficar sentado à mesa de jantar por horas até termos comido tudo do nosso prato; ter testemunhado inúmeros incidentes de violência doméstica e a consequência humilhante de ambulâncias e polícia vindo à nossa casa no meio da noite; além de passar pelas inúmeras tentativas de suicídio da minha mãe e suas consequências. Contudo, mais dolorosas ainda foram as palavras usadas como armas para ferir o coração de uma criança. Essa dor persistiu por bem mais tempo.

A minha esposa e eu tivemos um passado altamente disfuncional e de muito abuso. Isso exigiu que passássemos por muitos anos de aconselhamento individual e como casal. Essas experiências, bem como uma ampla pesquisa individual e estudo sobre o tópico de feridas pessoais (tanto pessoalmente como para os livros que escrevi), proporcionaram-me uma grande fundamentação e uma paixão por esse tema. Curar as minhas próprias feridas de infância e acompanhar a minha esposa enquanto ela tratava das dela proporcionou-me um entendimento singular de como essas feridas afetam nossa vida e as escolhas que fazemos. Além disso, o desafio de romper com os ciclos de comportamento associados a essas disfunções tem sido uma experiência iluminadora.

Compartilho algumas das experiências da minha infância neste livro. Ambos os pais que me criaram já faleceram. Nada do que descrevo neste livro tem a intenção de desonrá-los ou de alguma forma executar vingança contra eles fazendo-os parecer maus. A intenção é meramente ajudar outras pessoas que podem ter passado por circunstâncias semelhantes a compreender que não estão sós e que há esperança.

Você quer ficar curado do abuso infantil e alcançar uma vida melhor para você e seus filhos? As ações que descrevo neste livro exigem coragem e persistência. Elas não são para os covardes. Mas sei por experiência que elas funcionam. Creio que elas funcionarão para você também. Por isso, levante-se e persevere — você e Deus estão prestes a mudar você mesmo, e isso vai mudar o mundo ao seu redor! Tente relaxar — vai valer a pena.

1

QUANDO OS PAIS FALHAM

> Lares violentos têm o mesmo efeito
> no cérebro das crianças que
> uma batalha com soldados.
> — Daniel Amen

Um número significativo de pessoas nos Estados Unidos sofre os efeitos de ter sido criado por pessoas emocionalmente destrutivas. Os Centros de Controle e Prevenção de Doenças e a Clínica Permanente de Avaliação da Saúde Kaiser em San Diego colaboraram em um estudo. Foram entrevistados 17 mil membros da Kaiser a fim de saber se haviam vivido qualquer uma de oito experiências adversas na infância (EAI). Estavam incluídas:

abuso emocional
abuso físico

abuso sexual
mãe esgotada
separação ou divórcio dos pais
mãe dependente de substâncias químicas
mãe mentalmente doente
membro da família no sistema prisional

Quase dois terços dos participantes relataram pelo menos uma EAI e um em cinco relataram três ou mais.[1]

Estar exposto a esse tipo de experiências desenvolve padrões que influenciam ou até mesmo controlam a nossa vida diária adulta. Esses padrões passam então a ser modelo para nossos próprios filhos e acabam sendo transmitidos para a geração seguinte. Comportamentos tais como vícios, atitudes abusivas, alcoolismo e abandono são transmitidos de uma geração à seguinte, muitas vezes resultando em ciclos geracionais. E, quando nos sentimos mal a respeito de nós mesmos (como pessoas feridas se sentem), costumamos descontar em outras pessoas (por exemplo no cônjuge e nos filhos), geralmente naqueles que não podem se defender.

É claro que nem todas as pessoas que vêm de lares em que sofreram abuso fazem o mesmo. Algumas pessoas são bem-sucedidas em romper com esses ciclos. Costumamos acreditar que todos os que abusam foram eles mesmos abusados. Isso não é totalmente verdadeiro. Cerca de 40% dos pais que sofreram abuso passam a abusar de seus próprios filhos.[2]

1 ZIMMERMAN, Lucille. **Renewed.** Nashville: Abingdon Press, 2013. p. 156.

2 BROOKS, David. **The Social Animal:** Hidden Sources of Love, Character, and Achievement. New York: Random House, 2011. [**O animal social.** Rio de Janeiro: Objetiva, 2014.]

Entretanto, qualquer número de crianças abusadas já é excessivo.

Os pais desempenham um papel fundamental nos sentimentos de uma criança a respeito de si — quer sejam bons quer ruins. Susan Forward, Ph.D., em seu livro *Toxic Parents:* [Pais tóxicos] diz: "Nossos pais plantaram sementes mentais e emocionais em nós, sementes que crescem conosco. Em algumas famílias, são sementes de amor, respeito e independência. Mas, em muitas outras, são sementes de medo, dívida ou culpa".[3]

Se você está lendo este livro, você ou alguém a quem ama pode ter sofrido abuso ou ter crescido em um ambiente de abuso. Vamos fazer uma pausa para aprender mais sobre o que é o abuso, como se apresenta e como nos afeta como pais e adultos. Depois de termos aprendido contra o que estamos lutando, podemos seguir em frente para a boa notícia — a mudança é possível.

Vamos começar observando como funciona uma família onde ocorre abuso.

O sistema familiar do abuso

Quando crianças, a família constitui toda a nossa realidade. Ela nos ensina quem somos e como devemos interagir com o mundo. Boas famílias nos proporcionam as habilidades e o encorajamento para interagir com sucesso com o mundo e com as outras pessoas. Elas nos ensinam a ter uma vida bem-sucedida. Famílias tóxicas nos ensinam técnicas de sobrevivência que poderão, ou não, nos levar a uma vida bem-sucedida.

3 Forward, Susan; Buck, Craig. **Toxic Parents:** Overcoming Their Hurtful Legacy and Reclaiming Your Life. New York: Bantam Books, 1989. p. 5 [**Pais Tóxicos.** Rio de Janeiro: Rocco, 1990.]

Por isso, muitas pessoas que sofreram abuso fazem escolhas autodestrutivas, como acreditar que não podem confiar em ninguém, que não são dignas de ser amadas ou que nunca serão alguma coisa. Elas são programadas a se ajustarem aos comportamentos disfuncionais da família. Pessoas em famílias abusivas são ensinadas que ser diferente é ruim — elas precisam se ajustar e obedecer às regras da família a todo custo. Ser diferente é ser um traidor — e ser traidor ou abandonar a família é alta traição em famílias abusivas.

Muitas famílias assumem papéis designados para perpetuar o sistema familiar. Por exemplo, se o papel do pai era beber, o papel da mãe era ser codependente; portanto, o papel das crianças era o de ser os pais no lar. Crianças de lares disfuncionais com frequência assumem papéis específicos na família.

Eis alguns papéis comuns (meus três irmãos e eu nos encaixamos muito claramente nestes papéis):[4]

O rebelde se mete em encrenca e é conhecido por ser o "menino mau" ou a "menina má". Esse comportamento com frequência chama atenção, distraindo todos dos verdadeiros problemas em casa. Eles também são conhecidos como o "bode expiatório". Eles têm vergonha da vida familiar e geralmente são os primeiros a precisar de "recuperação".

A mascote/o palhaço usa a comédia para aliviar a tensão e acalmar situações explosivas. O humor ajuda uma família em sofrimento, mas é um bálsamo temporário. Essa criança é gentil e tem bom coração, mas parece nunca crescer.

4 Miles, Lisa A. Early Wounding & Dysfunctional Family Roles, World of Psychology, **PsycheCentral**, August 8, 2013. Disponível em: <http://psychcentral.com/blog/archives/2013/08/10/early-wounding-dysfunctional-family-roles/>.

A boa menina/O bom menino ou a *criança de ouro* é obediente e admirável. Eles tiram boas notas, não causam problemas e muitas vezes são confidentes de um dos pais. São consertadores da família, mas nunca têm suas necessidades supridas. Eles podem se tornar rígidos, críticos e controladores. São muito autossuficientes e geralmente alcançam muito sucesso na vida, mas lhes falta intimidade emocional.

A criança perdida torna-se invisível. Ela permanece longe de casa envolvendo-se em atividades, amizades ou esportes. Ela escapa da realidade, mas geralmente é muito triste e irritada, o que nega e evita.

Os pais são como deuses nas posições que ocupam no lar. Eles proporcionam sustento e abrigo, criam regras e distribuem dor, justificada ou não. Sem pais, as crianças sabem instintivamente que estariam desprotegidas, não seriam alimentadas e não teriam casa. Estariam em um constante estado de terror, incapazes de sobreviver sozinhas.[5]

Lares abusivos tendem a ter características comuns, inclusive a aparência de normalidade, isolamento emocional, segredo, carência, estresse e falta de respeito.

Todas as crianças têm certos direitos. Elas têm o direito de ter suas necessidades básicas supridas, tais como ser alimentadas, vestidas, abrigadas e protegidas. Também têm o direito de ser emocionalmente estimuladas, o direito de cometer erros e o direito de ser disciplinadas sem sofrerem abuso físico ou emocional. Infelizmente, raramente esses direitos são honrados em lares onde há abuso.

5 FORWARD, Susan; BUCK, Craig. **Toxic Parents:** Overcoming Their Hurtful Legacy and Reclaiming Your Life. New York: Bantam Books, 1989. p. 15.

Como lutam os pais tóxicos

Pais tóxicos reagem às ameaças ao equilíbrio descontando seus medos e frustrações sem se preocuparem com as consequências nos filhos. Eis alguns mecanismos de defesa comuns:

- Negação — Negação de que algo está errado ou de que acontecerá novamente. Dar outro nome também é negação — um alcoólatra passa a ser alguém que "bebe socialmente".
- Projeção — Pais abusivos frequentemente acusam os filhos das inadequações que eles mesmos sofrem.
- Sabotagem — Em lares disfuncionais, outros membros da família assumem papéis de resgatadores e cuidadores. Se qualquer membro da família começa a mudar ou a ser mais saudável, ameaça o equilíbrio da casa e os outros membros podem inconscientemente sabotar suas chances de sucesso para que as coisas voltem ao normal.
- Triângulos — Um dos pais tóxicos pode escolher uma criança como confidente ou como aliado contra o cônjuge. A criança é pressionada a escolher um lado e passa a ser um depósito emocional para o tormento dos pais.
- Guardar segredos — Essa atitude transforma as famílias em clubes particulares. Crianças que escondem abusos dizendo ela "caiu da escada" estão protegendo o clube de interferência externa.[6]

6 Forward, Susan; Buck, Craig. **Toxic Parents:** Overcoming Their Hurtful Legacy and Reclaiming Your Life. New York: Bantam Books, 1989. p. 169-170.

Todavia, a maioria das pessoas (principalmente os que sofreram abuso e anseiam por cuidado paternal) ainda sente uma necessidade de deificar os pais — não importa quão ruins eles tenham sido. Muitas pessoas vitimadas ainda acreditam que o comportamento dos pais era justificado: "Acho que provavelmente eu merecia isso" ou "É claro que eu apanhava, mas tudo terminou bem". Pais que abusam tendem a negar que tenha ocorrido algum abuso ou o justificam. Simplesmente porque pais inadequados "não tiveram a intenção" não significa que não tenham machucado ou sido prejudiciais. A intencionalidade não é um pré-requisito do abuso. Ouvimos pessoas desculpando esse tipo de pais dizendo coisas do tipo "eles não tinham a intenção de fazer mal" ou "eles fizeram o melhor que podiam". Com frequência pais inadequados esperam que de alguma forma seus filhos cuidem *deles* e supram as necessidades *deles* — tarefas que as crianças não são capazes de cumprir. Eu sinceramente não acreditava que muitos dos comportamentos dos meus pais eram abusivos até que diversos conselheiros e amigos chamaram a atenção para isso ou perguntaram se eu trataria meus filhos daquela forma.

Uma vez que muitos de nós negamos ter sofrido abuso ou justificamos o comportamento dos pais, vamos nos deter em alguns tipos específicos de abuso. É difícil romper com um comportamento (e curar uma ferida) se não temos consciência dele ou se nos recusamos a reconhecê-lo.

Abandono

Não receber a proteção física e psicológica necessária que uma criança merece equivale a abandono. Ser abandonado transmite a seguinte mensagem a uma criança:

"Você não é importante — você não tem valor". Crianças abandonadas acabam desenvolvendo um profundo senso de vergonha tóxica. Elas crescem acreditando que o mundo não é seguro, que não se pode confiar nas pessoas e que não merecem amor e cuidado. Crianças abandonadas com frequência acreditam que não podem corresponder às expectativas dos pais (que geralmente são irreais), que elas são responsáveis pelo comportamento de outras pessoas e que a desaprovação dos pais refere-se à personalidade delas, não às ações deles. Crenças frequentes incluem:

- Não se pode cometer erros.
- Não se pode expressar os sentimentos.
- Não se pode ter necessidades — as necessidades de todas as outras pessoas são mais importantes.
- Não se pode ter sucesso — nenhuma realização é reconhecida nem descontada.[7]

A minha esposa, Suzanne, foi abandonada pelo pai (a quem ela encontrou apenas duas vezes brevemente) e pela mãe, que deixou de cuidar dela quando tinha 10 anos (Suzanne depois saiu de casa aos 13 anos). Consequentemente, ela tinha graves problemas de abandono quando nos casamos. Ela não acreditava que eu não a abandonaria e guardava ciúmes no coração. Ser abandonada novamente era seu maior medo. Ela, até mesmo, costumava levar-me a um ponto em que eu a deixaria

7 Black, Claudia. Understanding the Pain of Abandonment, **Psychology Today**, June 4, 2010. Disponível em: <https://www.psychologytoday.com/blog/the-many-faces-addiction/201006/understanding-the-pain-abandonment>.

(provavelmente uma tendência inconsciente de testar meu nível de comprometimento). Foram necessárias três décadas mostrando outro padrão de comportamento da minha parte para ela começar a confiar que eu não vou abandoná-la. O meu nível de comprometimento na melhor das hipóteses a curou e na pior cicatrizou a punhalada do abandono em seu coração.

O nosso ministério trabalha com centenas de meninos e meninas (e adultos) que foram abandonados pelos pais. Essas pessoas lutam com questões de autoestima, autoconfiança, assumir riscos, tentar coisas novas, medo de fracassar e de desenvolver relacionamentos de intimidade.

Esses problemas manifestam-se de muitas maneiras. Muitas meninas, que anseiam tanto pelo amor de um pai, consentem nos avanços sexuais de garotos predadores (que também não têm pais) que impacientemente tomam seu amor e depois as jogam fora como lenços de papel usados. Um dos efeitos de não ter pai é criar meninos que tentam sentir-se homens ou que cruzam o portal da masculinidade por meio da conquista sexual de meninas. O efeito de não ter pais nas meninas é igualmente prejudicial, resultando no anseio e na busca desesperada por afeição por meio de encontros sexuais com meninos. Que colisão prejudicial dos efeitos de não ter um pai!

Certa mulher disse o seguinte a respeito de sua infância: "Acho que a maior ferida é ser abandonada pelo pai. O meu nos deixou quando eu tinha 14 anos. Foi especialmente devastador porque nossa casa era na verdade um 'lar feliz'. Nossos relacionamentos eram bons e não havia sinal de problemas. Mas de repente a crise da meia-idade atingiu o meu pai. E ele foi embora. Tudo desmoronou".

Para essa mulher, o abandono contaminou toda a sua vida: "O abandono tem sido um grande problema para mim. Divórcio e abuso contaminaram a minha vida. Acreditar que tenho direito e sou capaz de ter uma vida tranquila tem sido um desafio. A essência destrutiva disso provém do meu quebrantamento... Nunca vou corresponder às expectativas dos outros, portanto não sou digna de ser amada".

Vemos crianças que foram adotadas e que passaram a viver em lares amorosos, mas que ainda assim lutam com questões de abandono na vida adulta. Crianças que são abandonadas desenvolvem desordens de afeição e temem relacionamentos íntimos. Às vezes até mesmo com Deus. Se um pai (ou mãe) terreno não o ama o suficiente a ponto de permanecer, quão devastador seria se um Pai celestial também o abandonasse?

Abuso emocional ou psicológico

O abuso emocional debilita o desenvolvimento emocional e o senso de autoestima de uma criança. Esse tipo de comportamento pode incluir gritos, ofensas, críticas, sarcasmo, menosprezo, humilhação, ameaças, rejeição ou negar amor e apoio. Frequentemente está presente, associado a outras formas de abuso.

Alguns profissionais consideram que o abuso emocional ou psicológico é ainda mais devastador do que o abuso físico, isso porque as feridas externas curam mais rapidamente do que as feridas interiores.

Quando somos feridos (especialmente na infância), temos a tendência de criar um "diálogo interior" relacionado a essa ferida. Por exemplo, se você foi abusado, pode se sentir indigno ou que, por algum motivo, mereceu sofrer abuso.

Além disso, palavras pronunciadas por nossos cuidadores tendem a fixar-se no coração. Se um pai ou uma mãe diz que "não somos bons" ou que somos "burros", costumamos acreditar nisso no subconsciente. A mente inconsciente então cria "gravações" que tocam essas palavras repetidamente, mesmo quando não percebemos que isso esteja acontecendo. Esse fenômeno nos leva a autossabotar a vida enquanto as velhas gravações continuam tocando, dizendo-nos que não vamos conseguir nada e por que não vamos. Entretanto, raramente essas gravações são verdadeiras. Todos temos aquela vozinha na cabeça que fala conosco. Com frequência essa voz repete coisas que ouvimos nossos pais dizerem sobre nós. Crianças que sofreram abuso têm vozes que lhes contam mentiras: "Você não presta para nada", "Você nunca vai ser ninguém" ou, até mesmo, "Desejava que você nunca tivesse nascido". Essas vozes são loucura para a alma e geram profunda falta de esperança.

Mesmo quando crescemos, os nossos pais podem exercer grande poder psicológico sobre nós. Quando finalmente reuni coragem suficiente para compartilhar minha recém-descoberta fé cristã com a minha mãe, ela respondeu com uma carta dizendo: "Você está apenas usando a religião para conseguir que as pessoas gostem de você. Se eles o conhecessem como eu conheço, eles também o odiariam". Mesmo sendo adulto, essas palavras ferem profundamente.

Eu sempre me senti diferente dos meus pais — como se não pertencesse a eles. Lembro-me de, quando criança, sonhar acordado que fora adotado e que tudo isso era um grande engano. Que algum dia eu encontraria as pessoas boas e amorosas que realmente eram os meus pais. Pais tóxicos tendem a ver as diferenças individuais dos filhos como um ataque pessoal, por isso se defendem promovendo a dependência e o desamparo de uma criança. Uma vez que a negação e a normalidade fingida são enormes em famílias abusivas, qualquer um que lute contra essas mentiras está sujeito a escárnio e desprezo. Como eu me recusava a acreditar que a forma de a minha família viver fosse "normal", eu era rejeitado e rotulado de "menino ruim" que pensava ser melhor do que os outros. Escrever este livro levou-me a ver a minha infância de forma diferente. Na verdade, uma coisa que descobri é como fui corajoso quando menino. Rejeitar aqueles estereótipos precisou de muita coragem. Mas aquela rebeldia causou ainda mais abuso emocional.

Abuso verbal

O abuso verbal é semelhante ao abuso emocional e psicológico. O abuso verbal é geralmente o meio pelo qual os abusadores causam feridas. Há dois tipos de pessoas que abusam verbalmente: as primeiras são aquelas que atacam direta e abertamente, degradando os filhos. Elas chamam os filhos de "burros", "inúteis" ou "feios". Mesmo por brincadeira, chamar as crianças de termos como "pestinha" ou "gordo" é prejudicial e pode causar dano permanente. Insultos como esses da boca dos pais são como brasas que queimam a alma da criança. Eles podem dizer coisas como que desejavam que o filho não tivesse nascido (talvez a coisa mais cruel que um pai possa dizer a um filho), e esses ataques constantes ferem profundamente a autoestima em desenvolvimento de uma criança. O segundo tipo de pessoa que abusa verbalmente é mais indireto, sendo uma fonte constante de importunação, sarcasmo, apelidos insultuosos e humilhações sutis.[8]

Por isso, mesmo quando a criança é bem-sucedida, um dos pais a diminui dizendo coisas do tipo: "Você não é tão bom assim", ou "Quem você pensa que é?", ou "Qualquer um podia ter feito isso". E, se a criança falhar, pode ter certeza que ouvirá que nunca mesmo poderia conseguir. De modo geral, essas crianças simplesmente desistem e param de tentar para não serem humilhadas. Mesmo quando alcançam sucesso em algo, tendem a sentir-se culpadas e encontram formas de sabotar a si mesmas. As palavras negativas dos pais se tornam, então, profecias autorrealizadas. Bons pais usam suas palavras para animar e capacitar os filhos. Pais ruins fazem uso das palavras para ferir e controlar.

Por que nos importamos tanto com o que os nossos pais dizem ou pensam sobre nós? Os pais são o centro do universo do filho. Se os seus pais sabichões pensam coisas ruins a seu respeito, elas devem ser verdadeiras — não temos outra perspectiva para comparar essas palavras.[9] Lembro-me da confusão interior que isso me causou, uma vez que as coisas que os meus pais diziam e acreditavam a meu respeito claramente não eram verdadeiras comparadas à minha experiência. É claro que, mais tarde, essa confusão se transformou em raiva quando, finalmente, percebi que eles eram mentirosos.

8 Forward, Susan; Buck, Craig. **Toxic Parents:** Overcoming Their Hurtful Legacy and Reclaiming Your Life. New York: Bantam Books, 1989. p. 93.

9 Ibidem, p. 110.

A idade que temos não parece importar. Os pais ainda têm o poder de nos atacar verbalmente. Quando assinei um contrato para escrever o meu primeiro livro, um irmão me disse que a primeira coisa que o meu padrasto falou quando descobriu foi: "Afinal, o que é que o Rick sabe sobre escrever um livro?". Eu teria uma reação muito diferente se um dos meus filhos escrevesse e publicasse um livro.

A adolescência pode ser uma fase especialmente tumultuada em um lar onde há abuso. Além de todos os problemas normais exacerbados pela puberdade, meninas florescendo como mulher podem ser uma ameaça para a beleza e sexualidade de uma mulher mais velha. Elas são vistas pela mãe como competidoras e são desprezadas sempre que possível. Rapazes jovens ameaçam o poder e a virilidade de um homem. O homem mais velho ridicularizará e humilhará o filho para fazer que ele continue se sentindo pequeno e impotente. Esse comportamento faz que muitos adolescentes ajam em rebeldia e desafio ou se fechem com medo de fazer alguma coisa e serem humilhados.

Palavras são poderosas — elas têm significado. Elas também têm consequências. As pesquisas mostram que a humilhação de um menino por seu pai é o fator que mais contribui para que esse menino se torne um homem que abusa de mulheres.[10] O velho ditado sobre "paus e pedras"[11]

10 Potter-Efron, Ronald. **Healing the Angry Brain.** Oakland, CA: New Harbinger Publications, 2012. p. 71.

11 "Sticks and stones may break my bones, but words will never hurt me": Paus e pedras podem quebrar os meus ossos, mas palavras nunca vão me ferir. [N. do R.]

não é verdadeiro. As palavras ferem. Às vezes por uma vida inteira.

Abuso físico

A maioria das pessoas já teve o desejo de bater no filho em algum momento — geralmente quando eles resmungam, ou nos desafiam, ou não param de chorar. Felizmente a maioria dos pais é capaz de controlar esses impulsos. Muitas vezes isso está menos relacionado com o comportamento da criança e mais com o próprio nível de estresse, exaustão e infelicidade dos pais. A escritora Susan Forward diz: "A violência física contra os filhos geralmente é uma reação ao estresse no trabalho, conflito com outro membro da família ou amigo, ou tensão em geral com uma vida insatisfatória".[12]

Pessoas feridas tendem a descontar nos que estão mais perto — provavelmente porque são alvos fáceis por sua proximidade. Sandra Wilson, Ph.D., em seu livro *Hurt People Hurt People* diz o seguinte: "Se eu subjugo, domino e abuso de você hoje, temporariamente a dor que ainda sinto por ter sido subjugada, dominada e abusada ontem é diminuída. Aparentemente, as vítimas recebem uma sensação de força interior, um poder pessoal ao dominar uma pessoa ainda mais impotente do que elas".[13]

12 FORWARD, Susan; BUCK, Craig. **Toxic Parents:** Overcoming Their Hurtful Legacy and Reclaiming Your Life. New York: Bantam Books, 1989. p. 118.

13 WILSON, Sandra D. **Hurt People Hurt People.** Grand Rapids: Discovery House Publishers, 2001. p. 33

Pais que abusam fisicamente dos filhos compartilham características específicas

- Eles têm uma terrível falta de controle dos impulsos.
- Eles atacam os filhos sempre que têm fortes sentimentos negativos que precisam descarregar.
- Têm pouca ou nenhuma consciência das consequências do que estão causando aos filhos.
- O abuso é quase uma reação automática ao estresse — o impulso e a ação são a mesma coisa.[14]

Para esses pais, os filhos são meramente uma mercadoria para suprir as próprias necessidades não satisfeitas.

Muitos pais que abusam fisicamente entram na fase adulta com tremendos déficits emocionais e necessidades não supridas. Emocionalmente, ainda são crianças. Com frequência enxergam os próprios filhos como pais substitutos para suprir as necessidades emocionais que seus verdadeiros pais nunca supriram. O abusador fica enfurecido quando a criança não consegue suprir suas necessidades. Ele ataca. Naquele momento, a criança é mais pai substituto do que nunca, porque o abusador está realmente enfurecido contra seus pais.[15]

Penso que qualquer pessoa sã e racional saiba que não se bate em uma criança. (Vamos assumir que haja uma diferença

14 FORWARD, Susan; BUCK, Craig. **Toxic Parents:** Overcoming Their Hurtful Legacy and Reclaiming Your Life. New York: Bantam Books, 1989. p. 113.

15 Ibidem, p. 114.

entre uma leve punição física para propósitos de disciplina e um comportamento abusivo. Tratamos mais a esse respeito no capítulo 7.) Mas as pessoas que são vítimas de violência física terão muita dificuldade de superar esse abuso e se curar dele sem a ajuda de um bom conselheiro. A tragédia é que, se não sararmos, poderemos infligir esse mesmo comportamento aos nossos próprios filhos.

Incesto ou abuso sexual

Um dos tabus mais antigos no mundo civilizado pode ser o incesto. A Bíblia trata dessa questão em 2Samuel 13 na história de Amnom e Tamar. Amnom era o filho mais velho do rei Davi. Tamar era sua irmã mais nova a quem ele desejava. Amnom planejou fingir-se doente para conseguir que a virgem Tamar fosse até sua casa cozinhar para ele. Em seguida, ele a atraiu para sua cama e a estuprou. Uma vez consumado, o desejo transformou-se em ódio. (Isso pode ser comum em casos de incesto, uma vez que absolve o atacante de culpa e a deposita sobre a vítima. Provavelmente também envolve alguma transferência de ódio por si mesmo.) Ele então sentiu aversão por ela e a expulsou. A passagem diz que ela "ficou na casa de seu irmão Absalão". É interessante observar que, quando Davi descobriu o que Amnom havia feito, ele ficou irado, mas não diz que tenha tomado alguma providência para fazer justiça a Tamar. Isso deve ter se somado aos sentimentos de traição, injustiça e humilhação que ela deveria estar sentindo. Vários anos depois, Absalão assassinou Amnom por essa transgressão.

Aproximadamente 90% das crianças que sofreram abuso sexual conhecem quem as abusou. O incesto é a traição de confiança mais cruel entre uma criança e um pai e compreensivelmente tem consequências emocionais devastadoras. Quando um irmão mais velho ou parente está envolvido, é tão prejudicial quanto. Ser sexualmente violada quando criança é um dos piores males que uma pessoa pode experimentar. Quando alguém que deveria protegê-la acaba por violá-la, é algo completamente destrutivo. Estatisticamente, uma em três meninas e um em seis meninos sofreram experiências sexuais indesejadas antes dos 18 anos. Esse número provavelmente é maior, uma vez que se estima que muitas pessoas nunca contam a ninguém que foram molestadas. Mesmo assim, apenas essas estimativas conservadoras traduzem-se em cerca de 60 milhões de pessoas nos Estados Unidos que foram vítimas de abuso sexual. Literalmente, em todo lugar onde você for, estará em contato com alguém que teve esse destino. Olhe ao redor. Em uma sala cheia de mulheres, pelo menos um terço sofreu abuso sexual na infância. Isso *tem* que parar. Se esse é o seu legado, você pode interromper esse ciclo na sua descendência seguindo alguns passos detalhados ao longo deste livro.

Estima-se que mais de 90% de todas as vítimas de incesto nunca contam a ninguém. Por quê? Porque temem destruir a família. "O incesto pode ser assustador, mas a ideia de ser responsável pela destruição da família é ainda pior."[16]

O prejuízo é ainda maior se a vítima experimentar algum prazer nesses atos, uma vez que a vergonha é amplificada.

16 Forward, Susan; Buck, Craig. **Toxic Parents:** Overcoming Their Hurtful Legacy and Reclaiming Your Life. New York: Bantam Books, 1989. p.139.

Nosso corpo foi planejado para sermos seres sexuais. Além disso, está biologicamente programado para responder (geralmente como forma de proteção física) a atos sexuais até mesmo em casos em que não há consentimento e em ataques. Isso faz que muitas vítimas se sintam responsáveis pelo acontecido. Compreenda: sendo criança você sempre foi a vítima, quer tenha tido prazer quer não. O adulto *sempre* deve ser o culpado nessas circunstâncias.

Além disso, as pessoas não contam a ninguém porque os perpetradores de incesto são muito adeptos de manipulação e ameaças psicológicas. Eles ameaçam e manipulam para manter as vítimas em silêncio.

Ameaças usadas por perpetradores de incesto

- Conte, e eu mato você.
- Conte, e mato os seus pais/irmãos/avós.
- Conte, e ninguém acreditará em você.
- Conte, e a sua mãe vai ficar furiosa com você (ou odiar você).
- Conte, e as pessoas pensarão que você é louco.
- Conte, e eu irei para a cadeia e não haverá ninguém para sustentar a família.[17]

Os sobreviventes de incesto geralmente contam que se sentem sem valor, maus, sujos e prejudicados. A depressão é um resultado comum do incesto. Especialmente as mulheres

17 Forward, Susan; Buck, Craig. **Toxic Parents:** Overcoming Their Hurtful Legacy and Reclaiming Your Life. New York: Bantam Books, 1989. p. 138.

se permitirão ficar acima do peso na idade adulta. Isso serve a dois propósitos: (a) ela imagina que manterá os homens longe dela e (b) a massa corporal cria a ilusão de poder e força. Como muitas vítimas de outros abusos, sobreviventes de incesto automedicam a dor com drogas e álcool.[18]

Homens que sofreram abuso sexual têm um conjunto especial de desafios para lidar, uma vez que o abuso atinge o centro de sua masculinidade. Homens não deveriam ser atacados, ser vulneráveis, dominados, estuprados ou controlados. Eles podem se sentir emasculados ou destinados à homossexualidade.

Os homens geralmente se sentem desconfortáveis para tratar e expressar as emoções. Em parte, isso é causado pela forma com que são criados. Qualquer forma de abuso sexual gera emoções intensas. Eis algumas emoções comuns que os homens sentem nessas situações:

- *Desumanização* — Eles sentem como se não tivessem valor e comparam-se constantemente com outros homens.
- *Vergonha* — Eles transferem vergonha e culpa falsas a si mesmos.
- *Ambivalência* — Eles podem compreender a emoção da raiva, mas não do amor. Durante o abuso os sentimentos foram horríveis e assustadores, mas também ficaram excitados. Sua mente dizia: "Isso não está certo", mas o corpo deles é planejado para responder quando estimulado.

18 Forward, Susan; Buck, Craig. **Toxic Parents:** Overcoming Their Hurtful Legacy and Reclaiming Your Life. New York: Bantam Books, 1989. p. 151, 154.

- *Impotência* — Uma palavra sobre a qual nenhum homem quer pensar. Eles acreditam que não têm voz, que ninguém os ouvirá.
- *Desrespeito* — Eles acham que nenhum outro homem os respeitará; que zombarão dele; que nunca estão à altura das expectativas. Com frequência eles se tornam bastante promíscuos em uma tentativa de provar a masculinidade (para si mesmos e para o mundo).

Falaremos mais a respeito de proteger os seus filhos de incesto ou abuso sexual no capítulo 8. Enquanto isso, por favor compreenda que o incesto nos afeta de formas muito sutis e prejudiciais. Esse é outro tipo de abuso que pode exigir aconselhamento intenso para chegar à cura. Não espere! Quanto mais adiar, mais difícil se torna.

Negligência

Negligência é o fracasso de um dos pais em suprir as necessidades básicas do filho. A negligência pode acontecer de muitas formas e é o tipo mais comum de abuso em que as autoridades se envolvem. Fome e desnutrição, condições insalubres, ambientes perigosos para viver e falta de afeição e supervisão fazem parte de negligenciar as necessidades de uma criança. Vício em drogas geralmente leva as crianças a serem removidas de casa por se sentirem negligenciadas de uma forma ou de outra.

Uma forma particularmente insidiosa de negligência é a síndrome de Munchausen por transferência (também conhecida como transtorno factício imposto a outro). É uma forma de abuso da criança em que o cuidador (geralmente a mãe) ou "simula sintomas ou causa sintomas reais para fazer parecer que a criança está doente".[19] As táticas usadas para isso podem incluir não alimentar a criança para que pareça que ela não ganha peso, dar medicações ou produtos químicos à criança para causar vômito ou diarreia, infectar canais intravenosos para causar doença ou aquecer o termômetro para simular febre na criança. Essas mães muitas vezes trabalham ou já trabalharam na área da saúde e têm bastante conhecimento sobre o assunto. Elas parecem muito dedicadas aos filhos e são muito envolvidas com a equipe de saúde, descrevendo em detalhes os sintomas da criança. Os sintomas da criança geralmente são relatados pela mãe, mas já desapareceram quando a criança é hospitalizada, reaparecendo quando a criança vai para casa. Por sua dedicação à criança doente, os profissionais de saúde geralmente pensam que se trata de uma mãe excelente. A criança muitas vezes é levada a diversos médicos e hospitais para esconder o padrão de abuso. Casos da síndrome de Munchausen geralmente se tornam fatais para a criança.[20]

Negligência não é apenas falhar em suprir as necessidades básicas de sobrevivência de uma criança. Também pode incluir a falta de afeição. Em um orfanato na Romênia comunista foi identificada pela primeira vez uma síndrome em que bebês que têm suas necessidades básicas de alimentação e abrigo supridas, mas que nunca são pegos no colo nem recebem afeição, apresentam uma *insuficiência de crescimento*. Os bebês

19 Munchausen Syndrome by Proxy, US National Library of Medicine, **MedlinePlus**, August 22, 2013. Disponível em: <http://www.nlm.nih.gov/medlineplus/ency/article/001555.htm>.

20 Ibidem.

começaram a morrer por falta de contato humano e afeição. Mais tarde, muitos dos órfãos que sobreviveram sofreram de enfermidades tais como transtorno de déficit de atenção e hiperatividade (TDAH), transtorno por estresse pós-traumático (TEPT), transtorno afetivo bipolar, transtorno de relacionamento e outras enfermidades psiquiátricas.[21]

A negligência também pode consistir em um pai que não ama o filho, que o trata com desprezo, que não se envolve emocionalmente ou que simplesmente o ignora. É uma forma cruel de abuso infantil.

Alcoolismo

> Crescer em meio ao caos e à imprevisibilidade gerados pelo alcoolismo levou muitos de nós a mascarar a confusão, a raiva e a vergonha ao tentarmos ser perfeitos. A fim de provar ao mundo e a nós mesmos que não havia nada errado conosco ou com a nossa família, nos esforçávamos ao máximo na escola para sempre tirar nota A ou trabalhávamos fervorosamente em casa para manter tudo limpo e organizado. Destacamo-nos como atletas, artistas, líderes corporativos, humanitários e cidadãos de destaque. Contudo, internamente nos sentíamos esgotados, apavorados com a possibilidade de fracasso, incapazes de relaxar ou nos divertir e solitários.
>
> —Al-Anon, *From Survival to Recovery*
> [Da sobrevivência à recuperação]

21 Bahrampour, Tara. Romanian Orphans Subjected to Deprivation Must Now Deal with Dysfunction, **Washington Post**, January 30, 2014. Disponível em: <http://www.washingtonpost.com/local/romanian-orphans-subjected-to-deprivation-must-now-deal-with-disfunction/2014/01/30/a9dbea6c-5d13-11e3-be07-006c776266ed_story.html>.

Uma das minhas memórias mais antigas é estar deitado na cama debaixo das cobertas à noite, com meus três irmãos e irmãs menores aconchegados ao meu redor, enquanto na minha mente eu implorava a Deus que as pancadas e os gritos parassem no quarto ao lado. Era uma ocorrência razoavelmente frequente na nossa casa quando éramos crianças.

Os filhos de alcoólatras logo descobrem que são mais uma irritação do que uma bênção para os pais. Essa é apenas a ponta do *iceberg* do legado depositado sobre eles. Como diz a escritora Susan Forward: “Filhos adultos de alcoólatras receberam um legado de raiva, depressão, perda da alegria, desconfiança, relacionamentos prejudicados e um senso excessivamente desenvolvido de responsabilidade”.[22]

O caos constante de um lar alcoólatra geralmente leva a um comportamento controlador e perfeccionista nos filhos adultos em um esforço para alcançar alguma aparência de controle e paz na vida. Sendo um perfeccionista em recuperação, ainda luto contra questões de controle. Ser perfeccionista significa que você não gosta muito de surpresas nem de espontaneidade. Isso tira muita alegria da vida.

A negação é grande em famílias com alcoólatras. É o elefante na sala — sempre ali ocupando espaço e prejudicando as coisas, mas todos visivelmente o ignoram. Na casa dos alcoólatras, você não pode confiar em ninguém nem em nada que vê ou vivencia. Certo dia uma coisa que você diz ou faz está correta, é até encorajada. No dia seguinte, você apanha ou é envergonhado por essa mesma coisa. Então se sente sempre

22 Forward, Susan; Buck, Craig. **Toxic Parents:** Overcoming Their Hurtful Legacy and Reclaiming Your Life. New York: Bantam Books, 1989. p. 79.

desequilibrado, como se estivesse em um navio no meio do oceano. Tudo sempre é culpa *sua*. Isso faz que os filhos de alcoólatras precisem estar sempre no controle em uma tentativa de manter o caos sob domínio.

Outras formas de negação são insinuadas por adultos que dizem coisas do tipo: "Como você ousa chamar seu pai/sua mãe de bêbado!". Táticas de vergonha incluem declarações do tipo: "Quem você pensa que é?", ou "O que o faz pensar que é melhor do que nós?". Em pouco tempo, você aprende a viver de acordo com as baixas expectativas da família. Ou, caso decida ser diferente, corre o risco de ser rotulado de "mau" e fica sujeito a muita crítica e abuso. O meu papel na minha família era o de "menino mau". Como eu ficava envergonhado com o comportamento deles e me recusava a defendê-los, os meus pais descarregavam desprezo e culpa sobre mim sempre que podiam.

O comportamento da minha mãe variava de amorosamente nauseante a dolorosamente cruel, dependendo de seu humor e da quantidade de álcool que ingerira. Eu tentava constantemente prever como conseguir sua aprovação ou pelo menos permanecer no seu agrado. Infelizmente, era um empenho destinado a fracassar, uma vez que tudo estava constantemente mudando — o mesmo comportamento que um dia agradava, no outro dia despertava sua raiva. Pessoas vindas de lares com alcoolismo em pouco tempo começam a ter medo de tentar coisas novas ou de assumir riscos, que são comportamentos necessários para alcançar sucesso na vida. Mesmo quando você é bem-sucedido, um pai alcoólatra o irá ridicularizar, dizendo coisas do tipo: "Você não é tão bom assim", "Já era tempo de você fazer algo de bom" ou "Qualquer um poderia ter feito isso".

Os três elementos do grande segredo do alcoolismo

- A negação do vício por parte do alcoólatra diante de evidências muito claras do contrário e diante de comportamentos que são tanto assustadores como humilhantes para os outros membros da família.
- A negação do problema pelo parceiro do alcoólatra e frequentemente por outros membros da família. Frequentemente eles desculpam o beberrão com explicações do tipo: "Mamãe apenas bebe para relaxar", "Papai tropeçou no tapete" ou "Papai perdeu o emprego porque tem um chefe mesquinho".
- A farsa da "família normal", uma fachada que a família apresenta uns para os outros e para o mundo.[23]

"'A farsa da família normal' é especialmente prejudicial para uma criança, pois força-a a negar a validade de seus próprios sentimentos e percepções. É praticamente impossível para uma criança desenvolver um senso saudável de autoconfiança se precisa mentir constantemente sobre o que está pensando e sentindo."[24] É preciso tremenda quantidade de energia para manter a farsa, já que a criança precisa estar constantemente atenta, vivendo sempre com medo de acidentalmente "falar

23 Forward, Susan; Buck, Craig. **Toxic Parents:** Overcoming Their Hurtful Legacy and Reclaiming Your Life. New York: Bantam Books, 1989. p. 71.

24 Ibidem, p. 71-72.

demais" e trair a família.[25] Lembro-me de que na adolescência estava sempre exausto sem saber por quê. Agora, entendo.

A pior coisa que se pode fazer em um lar alcoólatra é contar para pessoas de fora que uma pessoa de casa é alcoólatra. Quando escrevi o meu primeiro livro, *That's my Son,* mencionei brevemente que fora criado em um lar alcoólatra. Não mencionei nomes nem entrei em detalhes, apenas mencionei de passagem. Quando a minha mãe leu o livro (pelo menos até aquela frase), ficou indignada. Como eu ousava contar ao mundo uma mentira dessas! Ela não falou mais comigo nos dez anos seguintes até ficar doente no fim da vida e precisar de mim.

Doença mental

Um em cada 25 indivíduos nos Estados Unidos é sociopata, o que quer dizer que muitos não têm consciência.[26] Os meus irmãos acreditam que o meu padrasto não tinha consciência. Ao julgar muitas de suas ações, isso até pode ser verdade.

A minha mãe provavelmente fora vítima de incesto durante a infância. Ela nunca tratou das feridas causadas por essa experiência. Embora nunca tenha sido diagnosticada, acredito que ela possa ter sofrido de todas ou de uma combinação das seguintes doenças mentais: transtorno bipolar, transtorno de personalidade limítrofe, depressão crônica severa, transtorno de ansiedade e transtorno por estresse pós-traumático (TEPT). Perto do fim da vida no asilo, começaram a lhe dar

25 FORWARD, Susan; BUCK, Craig. **Toxic Parents:** Overcoming Their Hurtful Legacy and Reclaiming Your Life. New York: Bantam Books, 1989. p. 72.

26 STOUT, Martha. **The Sociopath Next Door**. New York: Broadway Books/ Random House, 2005. p. 9 [**Meu vizinho é um psicopata.** Rio de Janeiro: Sextante, 2010.]

antidepressivos e, de repente, ela era uma pessoa completamente diferente. Estava calma e racional, e seu senso de humor parou de ser mordaz e sarcástico. Era quase agradável estar com ela. Que tipo de vida ela poderia ter tido se tivesse procurado ajuda em vez de automedicar-se a vida inteira? Que tipo de crianças poderia ter criado se estivesse saudável e gostasse de si mesma? São perguntas que nunca terão resposta, mas que mesmo assim merecem ser consideradas.

É completamente razoável assumir que, se você passou por um trauma ou abuso quando criança, você também sofre de transtorno por estresse pós-traumático. É importante compreendermos o que é isso, como se apresenta e o que causa, uma vez que afeta não somente a nós, como também as pessoas que nos amam. O TEPT atinge não apenas militares veteranos, mas também qualquer um que sofreu abuso físico, sexual ou emocional quando criança; estupro; violência doméstica; aborto; morte traumática de uma pessoa amada (assassinato, suicídio etc.); ou mesmo que tenha vivido com alguém que tenha TEPT. Os sintomas do TEPT incluem memórias repentinas do passado, pesadelos, amortecimento emocional, depressão, raiva e fúria, ansiedade severa, culpa, negação e pensamentos suicidas. As pessoas que sofrem de TEPT apresentam características como trabalho e responsabilidades em excesso, transtornos alimentares, hábitos compulsivos, memórias debilitadas da infância, perfeccionismo ou síndrome de mártir.[27]

27 Holtz, Athena Dean. Dealing with PTSD — So What Exactly Is PTSD and Who Does It Affect? March 4, 2015. Disponível em: <http://athenadeanholtz.com/dealing-with-ptsd-so-what-exactly-is-ptsd-and-who-does-it-affect/>.

Um dos sintomas de TEPT que me foi descrito alguns anos atrás é a hipervigilância. O conselheiro me perguntou se, em um lugar semelhante a um teatro, eu sempre sentava em um assento no corredor (geralmente no fundo da sala) ou, se num restaurante, sentava com as costas para a parede, se sempre estava ciente de onde estavam localizadas as saídas e do que estava acontecendo ao redor. Precisei responder sim a todas as perguntas, sempre. Claramente, a partir desses sintomas e de muitos outros, eu sofrera de TEPT por violência e por abuso na infância. Embora tenha melhorado e agora brinque sobre a minha compulsão de sentar nas pontas, ainda me sinto desconfortável sentado no meio de uma fileira.

Eis o que acontece no corpo dos que temos TEPT: quando ocorre uma ameaça, o cérebro manda uma mensagem para as glândulas suprarrenais, que produzem dois tipos de hormônios — adrenalina (que nos faz fugir) ou noradrenalina (que nos faz lutar). O corpo entra em ação e respondemos fugindo ou lutando. Responder lutando invocaria comportamentos como ira, raiva, hiperatividade, impaciência ou mesmo comportamento abusivo. Responder fugindo exibiria frustração, isolamento, baixa autoestima/amor-próprio, depressão ou pensamentos suicidas. Eis o problema: o cérebro não consegue diferenciar uma ameaça real e uma imaginária. Então, isso significa que, se você passou por um evento traumático no passado e algo acontece hoje que o faz lembrar daquele evento (mesmo coisas simples como sons ou cheiros), pode levar o seu cérebro a pôr as glândulas suprarrenais em ação, mesmo que não haja ameaça real. A necessidade de lutar ou fugir pode ser muito forte e, se você não sabe o que está acontecendo, responderá com comportamentos irracionais e inapropriados enquanto hormônios inundam seu corpo.[28] Um homem disse-me que o cheiro de pomada no cabelo de um senhor idoso que encontrara disparou a forte reação, quase irresistível, de fugir porque o fez lembrar da pessoa que abusava dele. O cheiro de pomada lhe causa enjoo até hoje.

Se você tem qualquer um dos sintomas descritos anteriormente, eu o encorajo a buscar ajuda de um profissional de saúde mental. TEPT não é algo para se brincar nem algo que você possa controlar com força de vontade.

Agora vamos ver como abusos do passado nos afetam e à a nossa paternidade.

28 HOLTZ, Athena Dean. Dealing with PTSD — Adrenaline and Triggers: Part One — How Your Body Responds, March 13, 2015. Disponível em: <http://athenadeanholtz.com/dealing-with-ptsd-adrenaline-and-triggers-part-one-how-your-body-responds/>.

2

COMO O NOSSO PASSADO AFETA O NOSSO PAPEL DE PAIS

> Muitos deles não fazem ideia por que a vida não está funcionando. Muitos mais sofrem com uma autoestima danificada causada por um dos pais de quem apanhavam regularmente, ou que os criticava, ou "zombava" de como eram burros, feios ou indesejados. Ainda outros estavam sobrecarregados de culpa, eram sexualmente abusados ou forçados a assumir responsabilidades demais.
>
> — Susan Forward, Ph.D., *Toxic Parenting*

Por que algumas pessoas com um passado horrível se tornam vítimas que sabotam a própria vida e outras cuja origem é de ambientes semelhantes vivem uma vida saudável, feliz e produtiva? A resposta para essa pergunta é "controle". Todos nós temos uma vontade livre. Podemos tomar a decisão de permitir que o passado nos controle ou podemos controlar a nossa vida, apesar da dor do nosso passado. Literalmente, podemos decidir viver uma boa vida ou uma vida miserável.

Lembro-me de quando criança prometer a mim mesmo que nunca seria como os meus pais. Nunca viveria como eles, nunca seria alcoólatra e teria uma vida "boa". A minha esposa veio de um ambiente de muito abuso físico e mental, negligência, abandono e abuso sexual. Além disso, sua família tinha um histórico de pobreza e mães solteiras. De acordo com as estatísticas, ela deveria ser uma daquelas pessoas que repetem os ciclos geracionais de divórcio, dependência química e promiscuidade que moldaram sua infância. Um dia lhe perguntei como ela evitara esses campos minados e se tornara uma pessoa tão saudável, feliz e amorosa. Ela simplesmente disse: "Tomei a decisão de não viver daquele jeito".

Isso significa tomar a decisão consciente de não focar no passado e nas feridas que lhe foram causadas. Significa olhar para a frente, não para trás. Também significa desfrutar das coisas boas que temos hoje em vez de permitir que o passado arruíne isso também. Ser agradecidos pelo que temos em vez de pensar no que perdemos. E finalmente significa fazer o que for preciso para curar essas feridas.

Uma coisa que precisa ser lembrada é: podíamos ser indefesos quando coisas ruins nos aconteceram na infância. Mas, como adultos, não somos impotentes. Na verdade, somos mais poderosos agora do que aqueles por quem fomos abusados. Estamos no controle agora. É claro que, se fosse tão fácil, todos fariam isso.

Vamos ver o que os efeitos de uma infância tóxica nos causam para poder começar a entender como superá-los e assumir o controle da nossa vida.

Resultados programados

O que o abuso durante a infância causa ao cérebro? Primeiramente, a falsa vergonha e a falsa culpa que transferimos a nós mesmos. Por que nos culpamos pelo abuso em vez de colocar a responsabilidade sobre a pessoa que foi responsável?

Pessoas criadas por pais tóxicos sofrem de sintomas surpreendentemente semelhantes: autoestima prejudicada que leva a um comportamento autodestrutivo. Quase todas essas pessoas se consideram sem valor, não merecedoras de amor e inadequadas. Consciente ou inconscientemente, quase todas as crianças se culpam por terem sido abusadas pelos pais. "É mais fácil para uma criança dependente e indefesa se sentir culpada por ter feito algo 'errado' para merecer a raiva de papai do que seria aceitar o fato assustador de que papai, o protetor, não é confiável."[1] A única forma de o abuso fazer sentido para uma criança é aceitar responsabilizar-se pelo comportamento dos pais.[2]

Muitas pessoas que sofreram traumas severos também vivenciam dissociação. A dissociação é semelhante ao que é descrito como deixar o corpo. Um *website* médico define-a como "a separação captada da mente do estado emocional ou até mesmo do corpo. A dissociação é caracterizada pela

1 FORWARD, Susan; BUCK, Craig. **Toxic Parents:** Overcoming Their Hurtful Legacy and Reclaiming Your Life. New York: Bantam Books, 1989. p. 6.

2 Ibidem, p. 17.

percepção do mundo como um sonho, um lugar irreal e pode ser acompanhada por pouca recordação de eventos específicos".[3] Suspeita-se que isso seja uma forma de enfrentar ou um mecanismo de defesa contra alguma coisa traumática ou dolorosa demais para a pessoa lidar.

A dissociação manifesta-se de diversas formas:

- *despersonalização* — separação ou experiência fora do corpo.
- *desrealização* — a sensação de que o mundo não é real, como estar assistindo à vida através de um filme.
- *amnésia dissociativa* — incapacidade de lembrar informações ou acontecimentos pessoais importantes.
- *confusão ou alteração de identidade* — uma sensação de confusão sobre quem a pessoa é ou alteração de quem é.[4]

Ansiedade, transtorno por estresse pós-traumático, baixa autoestima, somatização, depressão, dor crônica, dificuldade interpessoal e abuso de substâncias, bem como autoflagelo e ações suicidas são todas manifestações potenciais contra as quais as pessoas vindas de lares tóxicos precisam lutar.

No capítulo 1, discutimos um estudo realizado em pessoas que vivenciaram experiências adversas na infância. Experiências adversas na infância têm efeito cumulativo sobre os seres humanos com resultados drásticos. Em crianças que

3 Medical Definition of Dissociation, **Medicinenet.com**. March 19, 2012. Disponível em: <http://www.medicinenet.com/script/main/art.asp? articlekey=38857>.

4 Dissociation FAQ's, **International Society for the Study of Trauma and Dissociation**. Disponível em: <http://www.isst-d.org/?contentID=76>.

passaram por quatro ou mais experiências adversas na infância, os resultados incluem:

- ser 12 vezes mais propensas a tentar suicídio;
- ser 10 vezes mais propensas a usar drogas;
- ser 7 vezes mais propensas a abusar do álcool;
- ser 260% mais propensas a desenvolver doença pulmonar obstrutiva crônica (por fumar etc.);
- índices mais elevados de doença cardíaca, doenças sexualmente transmissíveis e morte prematura, o que aumenta com o número de experiências adversas na infância que uma pessoa vivencia.[5]

O número de experiências adversas na infância que uma pessoa vivencia pode determinar com surpreendente precisão a quantidade de cuidado médico de que precisará na idade adulta. Por exemplo, indivíduos com quatro ou mais experiências adversas na infância tinham duas vezes maior probabilidade de ser diagnosticados com câncer e eram 460% mais propensos a sofrer de depressão do que aqueles que não passaram por isso. Seis ou mais episódios de experiências adversas na infância diminuem a expectativa de vida de uma pessoa em aproximadamente vinte anos.[6]

São esses resultados significativos que precisamos ter em mente se quisermos mudar o nosso destino. *Embora esses números*

5 Foundations Training for Caregivers: Session 3 — Child Development and the Impact of Abuse, Oregon Dept. of Human Services, p. 7.

6 NAKAZAWA, Donna Jackson. 7 Ways Childhood Adversity Can Change Your Brain, **Psychology Today**, August 7, 2015. Disponível em: <https://www.psychologytoday.com/blog/the-last-best-cure/201508/7-ways-childhood-adversity-change-your-brain>.

pareçam deprimentes, a cura dos nossos traumas e feridas interiores ajuda a reduzir esses resultados de volta a padrões considerados normais. Mais uma vez, o seu passado não dita o seu futuro.

Padrões

Crianças que foram abusadas internalizam mensagens profundamente negativas sobre si mesmas e sobre outros. Essas mensagens persistem na idade adulta, afetando como se sentem em relação a si mesmas. Talvez fundamentalmente fira sua habilidade de ter relacionamentos íntimos. O abuso viola a confiança na essência do mundo de uma criança, limitando sua capacidade de ter relacionamentos íntimos e levando-as a estilos de vida caóticos. Em razão de questões de abuso infantil não resolvidas, a vida de muitos sobreviventes caracteriza-se por crises frequentes, tais como decepções no trabalho, relacionamentos fracassados e reveses financeiros. Os motivos possíveis são que o caos interno vivido pela pessoa a impede de ser capaz de estabelecer previsibilidade, regularidade e constância na vida.

Dito isso, é possível viver uma vida plena e construtiva. E até mesmo florescer — desfrutar de um sentimento de completude e satisfação na vida, bem como amor genuíno e confiança nos relacionamentos. O primeiro passo em direção à recuperação é reconhecer a relação entre o abuso anterior e os padrões atuais de comportamento.[7]

Pessoas que sofreram abuso também têm a tendência de ver o mundo em preto e branco com um tipo de pensamento "tudo ou nada". Isso resulta em uma mentalidade de "sempre"

7 Impact of Child Abuse, **Blue Knot Foundation**. Disponível em: <http://www.blueknot.org.au/WHAT-WE-DO/Resources/General-Information/Impact-of-child-abuse>.

ou "nunca" que tende a desconfiar dos outros. Por exemplo, uma criança abusada pode pensar: "Papai abusou de mim. Papai é um homem. Portanto, homens não são confiáveis". Ou, em um relacionamento, uma esposa pode pensar: "Ele está furioso comigo. Portanto, não me ama". Elas podem carregar essa mentalidade por toda a vida, manifestando-a em várias circunstâncias, mesmo que não ajam conscientemente.

Pessoas que sofreram abuso tendem a sempre querer agradar a outros. Elas aprenderam bem cedo como antecipar as reações emocionais de quem abusava delas. Agradar a essa pessoa era uma forma de reduzir ou limitar a quantidade de abuso. Elas com frequência carregam muita vergonha ou culpa. Isso leva a altos índices de depressão em meio a esse grupo. Os sobreviventes também têm a tendência de usar estratégias de enfrentamento que aprenderam na infância, tais como negação ou minimizar o abuso a que estavam expostos.

O abuso também leva suas vítimas ao vício, com automedicações como remédios, comida, jogo ou compras. Outras formas de abuso podem incluir crianças que nascem com síndrome fetal alcoólica ou bebês da metanfetamina que têm desafios significativos na vida a enfrentar. Finalmente, crianças que foram adotadas ou criadas em abrigos para menores geralmente enfrentam desafios tais como transtorno de afetividade, o que torna difícil para elas estabelecer relacionamentos com outros e controlar suas próprias emoções.

Comportamentos repetidos

Você já se perguntou por que as pessoas são atraídas para o mesmo caos e para ambientes destrutivos dos quais escaparam na infância? Você notará que, se puser pessoas que cresceram em ambientes caóticos em situações de paz, elas acabarão criando um caos. Isso se deve a que elas não se sentem confortáveis em um ambiente ao qual não estão acostumadas. O cérebro, durante períodos de estresse e caos, libera certas substâncias químicas e hormônios (cortisol, adrenalina, dopamina e norepinefrina) para ajudar o corpo a lidar com aquele ambiente e a se adaptar a ele. Em pouco tempo, o corpo acostuma-se com altos índices dessas substâncias. Então, quando o cérebro se encontra em uma situação de paz, diminui a produção dessas substâncias e o corpo experimenta sintomas de abstinência, gerando desconforto no indivíduo. O retorno ao ambiente caótico aumenta novamente os níveis das substâncias e o corpo se acalma, semelhante a uma pessoa viciada em drogas. Todos nós buscamos padrões familiares na vida, mesmo se forem dolorosos e destrutivos. Esses padrões familiares geram conforto e estrutura na nossa vida porque estamos acostumados com eles. Estar em um ambiente familiar significa que sabemos quais são as regras e o que podemos esperar.

Quanto mais envergonhados nos sentimos, mais propensos estamos a acreditar que amor doloroso é melhor do que nenhum amor. Por que uma mulher (ou um homem) continuamente retorna a um cônjuge abusivo ou procura outros homens (mulheres) que abusam dela? É porque a forma com que fomos criados é familiar. Sentimo-nos mais confortáveis com isso do que com o desconhecido. Além disso, pessoas que sofreram abuso começam a acreditar que merecem ser tratadas dessa forma. É parte de quem são — parte de sua identidade. Desse modo, muitas pessoas feridas não acreditam que realmente mereçam ser tratadas de uma maneira amorosa e encantadora.

Rompendo ciclos geracionais

Ciclos geracionais são comportamentos repetidos para as crianças a ponto de serem transmitidos de uma geração a outra (geralmente por múltiplas gerações). A geração mais nova cresce e copia os comportamentos que lhe foram ensinados pelos pais ou cuidadores importantes. Quando os pais conduzem mal a família, as repercussões geralmente são sentidas por gerações — a Bíblia diz que os pecados dos pais serão transmitidos até a terceira e a quarta geração (Êxodo 20.5). Ciclos geracionais comuns incluem comportamentos como alcoolismo, vício em drogas, abandono, violência doméstica, abuso ou divórcio. Quando esses tipos de comportamento prevalecem no comportamento familiar, pelo menos uma ou mais das crianças geralmente crescerão e também se envolverão com eles. Alguns podem ser genéticos (como veremos no capítulo 7), mas com frequência é um caso de "tal pai, tal filho".

Trabalho com muitos homens que foram abandonados pelos pais durante a infância. Embora eles digam firmemente que nunca abandonarão os filhos, com frequência acabam exatamente nessa circunstância. Também vejo isso em mulheres cujas mães e avós foram mães solteiras. Apesar de suas boas intenções, geralmente seguem os passos que lhes serviram de modelo. Também trabalho bastante com homens encarcerados. Muitos deles me confessam que seus pais e avôs estiveram na prisão. Eles nunca tiveram intenção de ir para a prisão, mas estavam de alguma forma programados a fazer escolhas que os conduziram a esse caminho. Filhos que têm pais na prisão são sete vezes mais propensos a acabar encarcerados do que meninos cujos pais nunca foram presos.

Ciclos geracionais são difíceis de romper, mas é possível. Pessoas que não receberam modelos de comportamento paternal cuidadoso e amoroso não estão fadadas a passar esses comportamentos para seus filhos. Simplesmente porque não recebemos (ou ainda não conseguimos receber) amor e cuidado dos nossos pais não significa que não possamos dá-los aos nossos filhos. Apenas se trata de que é difícil quando a nossa conta emocional está baixa e sendo sugada sem ser preenchida. A dor e a necessidade nos fazem agir de formas de que não gostamos e que muitas vezes não conseguimos controlar. Romper ciclos geracionais exige que façamos duas coisas: (1) saibamos o que está acontecendo e (2) encontremos mentores que possam servir de modelo e que nos ensinem o que são relacionamentos saudáveis. Tomar conhecimento do processo que acontece entre o abuso infantil, com o prejuízo que gera na nossa mente e psique, e os efeitos que gera na idade adulta é o primeiro passo para curar essas feridas. No entanto, apenas tomar conhecimento em geral não é suficiente. Você precisa ser guiado (provavelmente com ajuda profissional) para desenvolver a percepção e aprender mecanismos de defesa. Você também precisa de pessoas boas e saudáveis ao redor que mostrem e ensinem o que são bons casamentos e bons pais. Esse processo exigirá muita determinação e intencionalidade — aqueles que rompem ciclos geracionais devem ser elogiados, pois são necessárias muita coragem e força de vontade.

Há outra coisa da qual precisamos lembrar. Às vezes podemos nos envolver tanto em tentar mudar, em fazer o "certo", que nos esquecemos da coisa mais importante — simplesmente amar os nossos filhos. É isso que eles realmente precisam. O amor cobre muitos erros. Simplesmente os ame.

Desvantagem da pobreza

Certos atletas que cresceram durante a Depressão
jogavam da seguinte forma, com os vira-latas
da pobreza correndo em seus calcanhares.
— Roger Kahn, *The Boys of Summer*

A pobreza pode ser uma forma de abuso. Certamente ela estrutura o nosso modo de ver o mundo e interagir com ele. Se você cresceu na pobreza, não pode mudar a si mesmo sozinho. Seu ambiente a as mensagens emocionais que ele envia, bem como as influências culturais inconscientes, sobrepujam a sua intenção consciente, levando-o a tomar decisões que o mantêm no mesmo nível socioeconômico.

Crianças que vivem na pobreza correm mais risco em diversas situações, inclusive baixo rendimento escolar, abandono da escola, abuso e negligência, problemas físicos de saúde e atraso no desenvolvimento. Problemas psicossociais podem incluir impulsividade, dificuldade de relacionamento com colegas, agressão, transtorno de hiperatividade e déficit de atenção, e transtorno de conduta. Elas têm maiores taxas de ansiedade, depressão e baixa autoestima. Os problemas físicos de saúde incluem baixo peso ao nascer; doenças crônicas como asma e pneumonia; comportamentos de risco, como fumar e atividade sexual precoce; e exposição à violência. Pais que vivem na pobreza experimentam estresse crônico, depressão e problemas conjugais, além de ter comportamentos paternos mais severos.[8]

8 Effects of Poverty, Hunger, and Homelessness on Children and Youth, **American Psychological Association**. Disponível em: <http://www.apa.org/pi/families/poverty.aspx/>.

Portanto, se crescemos na pobreza e desejamos mudar o nosso *status* socioeconômico a fim de manter os nossos filhos longe de seus efeitos, o que precisamos ter em mente? Em primeiro lugar, a sua família pode desprezar você por tentar romper com a pobreza — por pensar que é "melhor" do que eles. Se você tiver sucesso, eles provavelmente não se orgulharão de você, não importa quanto eles piorem. Na verdade, provavelmente eles se ressentirão de você em alguma medida. Saiba que você poderá ter que cortar relacionamentos com muitos amigos e familiares. Por mais difícil que seja, a mudança positiva para o seu futuro e para o futuro da sua família vale a pena.

Em segundo lugar, compreenda que algumas das "regras secretas" da pobreza precisam ser quebradas para obter sucesso na vida. Todas as classes socioeconômicas têm regras secretas que são conhecidas somente por aquela classe. Geralmente você só descobre tais regras se alguém dessa classe explicá-las. Aprender as regras da classe para a qual deseja entrar é imperativo para fazer o salto. Por exemplo, na pobreza geracional as crianças são consideradas possessões. A educação geralmente é temida porque, quando as crianças recebem educação, elas partem, fazendo que você perca suas posses. Ou você pode ser cético quanto à educação porque não acha que faça diferença na vida de alguém — pelo menos não fez diferença na sua (embora a educação seja uma das exigências fundamentais para escapar da pobreza). Além disso, a disciplina física é muito aceitável na pobreza.[9]

9 Retirado de PAYNE, Ruby K.; DEVOL, Philip E.; SMITH, Terie Dreussi. **Bridges Out of Poverty**. Highlands, TX: aha! Process, Inc., 2005.

Atitudes e sistemas de crença diferentes são mais predominantes na pobreza do que em outras classes. Essas atitudes podem resultar em ações tais como linguagem ou humor vulgar (piadas inapropriadas ou obscenas), ressentimento de autoridade (repreender o chefe por algo insignificante), usar violência física para resolver problemas (defender a honra da esposa quando isso não era questionado), visão limitada que o encoraja a gastar todo o seu dinheiro pagando as contas (pago na sexta, quebrado na segunda). Isso causa falta de aceitação por outras classes sociais e geralmente nos impede de seguir em frente na vida.[10]

É claro que a sua forma de se vestir, agir e se comportar também diz muito sobre a sua classe socioeconômica. Uma história que relatei em um livro anterior ilustra bem o que quero dizer:

> Uma mulher veio até mim depois de ter falado em uma conferência e disse: "Amei o seu discurso e o seu estilo. Você me faz lembrar um trabalhador instruído". Devo admitir que não sabia realmente se aquilo fora um elogio ou uma crítica. Depois de refletir, percebi que ela tivera essa impressão porque é exatamente isso que sou. Cresci em um bairro operário de baixa classe média. Meus pais haviam vindo de uma fazenda no Wisconsin. Apesar de ter um diploma universitário, tenho *pedigree* de classe operária.
>
> Aquele comentário me fez pensar sobre como somos criados e quanto conseguimos mudar de fato a programação que tivemos na primeira infância. Por exemplo, ultrapassei muito o

10 Retirado de PAYNE, Ruby K. **Crossing the Tracks for Love**. Highlands, TX: aha! Process, Inc., 2005.

status socioeconômico da minha criação, frequentei universidade, iniciei diversos negócios bem-sucedidos, sou um escritor com livros publicados e interajo com pessoas bem-sucedidas de todas as esferas da vida. Entretanto, algo a meu respeito (em mim) disse àquela mulher qual era o meu passado e, em essência, quem eu era. As nossas raízes desenvolvem em nós um caráter ou personificação que, não importa quanto tentemos mudar, permanece nossa herança. Ele se mostra na nossa conduta, aparência, atitude, em como nos comportamos, até mesmo em como falamos e caminhamos. Revela-se em nossa linguagem e estilo de comunicação, nosso sotaque, nossas inflexões, nossa ênfase em certas palavras e nos coloquialismos que usamos. Revela-se nas roupas que vestimos, em como as vestimos, em nosso estilo e nossa crença ou em nossa atitude do lugar que ocupamos no mundo.

Psicologicamente, revela-se em como nos sentimos em relação a nós mesmos (nossa autoestima) e como nos vemos (nossa autoimagem). Apesar do fato de ter tido anos de aconselhamento, treinamento, educação e crescimento intencional, ainda tenho uma essência de operário em mim.

Você perceberá que as pessoas sempre conseguem distinguir aqueles que não têm os mesmos antecedentes (é bem fácil distinguir entre alguém que foi criado em uma área afluente de Boston e alguém oriundo de um bairro pobre de Birmingham, Alabama). O filho pobre que recebe uma bolsa de estudos para Harvard ou Princeton está visivelmente deslocado e nunca se encaixa muito bem. Mesmo o filho de classe média que vai para um bairro pobre se destaca feito um peixe fora d'água. Por mais que tentemos escondê-lo, o nosso passado paira sobre nós como as sombras em um cemitério.

Muitas vezes, não importa como nos vestimos ou quanto somos instruídos. Mesmo vestindo terno e relógio caros e mocassins italianos, provavelmente eu não estaria tão confortável no ambiente da diretoria de uma grande empresa como alguém que cresceu com aquela expectativa e treinamento. A minha aparência, atitude e linguagem me entregariam (embora tenha aprendido que uma forma de fazer as pessoas pensarem que sou mais inteligente é simplesmente manter a boca fechada).

> A minha esposa também vem de um lar difícil. Mesmo em um vestido caro com brincos de diamante, ela provavelmente teria dificuldade em se sentir à vontade em um papel social esnobe porque ela não conhece a linguagem, os hábitos, os costumes e as nuances do protocolo social das pessoas dessa classe nem tem a confiança que acompanha esse conhecimento (embora ela tenha bem mais classe do que eu e possa ser capaz de se sair bem). O que quero dizer é que, mesmo que ela seja tão inteligente e elegante como as mulheres desse ambiente, provavelmente nunca será confundida com alguém que fez treinamento de debutante e frequentou uma escola de formação antes de ir para a Universidade Bryn Mawr, Radcliffe ou Vassar[11].[12]

Tudo isso para dizer que você pode avançar de classe econômica com instrução e esforço. A minha esposa e eu saímos da pobreza para a classe média, e meus parentes subiram da

11 Estas são faculdades de artes liberais localizadas na região nordeste dos Estados Unidos que foram historicamente faculdades exclusivas para mulheres (fonte: Wikipedia). [N. do T.]

12 JOHNSON, Rick I. **Romancing Your Better Half**. Grand Rapids: Revell, 2015. p. 129-131.

classe média para a riqueza. Os Estados Unidos talvez sejam o único país no Planeta onde o seu passado não dita o futuro. Dê o salto. Os seus filhos serão muito beneficiados e terão grandes vantagens ao não ser criados na pobreza.

Como o trauma modifica o cérebro

Traumas na primeira infância modificam o cérebro de diversas formas. Essas mudanças duram uma vida inteira e podem levar o adulto à depressão, à ansiedade, ao abuso de substâncias e a transtornos psiquiátricos. Muitos sobreviventes de traumas são muito adaptáveis, mas lutam com essas questões diariamente. Uma das formas em que o abuso infantil desorganiza a atividade cerebral é diminuindo sua capacidade de lidar com o estresse. Durante períodos de estresse, o corpo libera hormônios como o cortisol. Tal liberação de cortisol foi projetada para ser breve antes de ser novamente guardada. Contudo, durante períodos de abuso severo, a capacidade do cérebro de desligar essa resposta ao estresse é desabilitada. Quando isso acontece, o cortisol permanece no cérebro, levando a consequências indesejadas. Altos níveis de cortisol causam mudanças de humor, perturbam o sono, aumentam a ansiedade e causam irritabilidade. Isso leva à depressão, ao transtorno por estresse pós-traumático e a outros transtornos psiquiátricos que afetam o desempenho da vítima no trabalho, afetam os relacionamentos no casamento e com os filhos e levam a um maior número de casos de abuso de substâncias químicas.[13]

13 MENDELSON, Scott. The Lasting Damage of Child Abuse, **HuffPost Healthy Living**, December 31, 2013. Disponível em: <http://www.huffingtonpost.com/scott-mendelson-md/the-lasting-damage-of-chi_b_4515918.html>.

Frequentemente, então, vítimas com esses tipos de problemas correm maior risco de, elas mesmas, abusarem de outras pessoas. Nossas feridas da infância causam respostas reflexivas na fase adulta. Nós repetimos terríveis dinâmicas da infância em uma tentativa de reparar feridas profundas e anseios da infância.[14] Mas tenha esperança! Como veremos nos próximos capítulos, é possível ser curado e levar uma vida saudável, feliz e produtiva, apesar do passado.

Às vezes pessoas que sofreram abuso na infância passam a ser vítimas da carreira, tornando-se raivosas, amargas, autodestrutivas ou deprimidas. A escritora e apresentadora de um programa de rádio dra. Laura Schlessinger diz a respeito dessas pessoas: "[Elas estão] sempre infelizes, exigindo incrivelmente dos outros, com um grande peso sobre os ombros e uma atitude maior ainda de superioridade e geralmente uma propensão a espalharem mau humor".[15]

Ser uma vítima pode nos dar uma desculpa para o que acontece na nossa vida. As vítimas geralmente são recompensadas por seu mau comportamento. Muitas vezes isso acontece porque estão cercadas de pessoas que as toleram e sujeitam-se a seus desejos. E francamente ninguém espera muito das pessoas que sofrem. Parece muito cruel esperar responsabilidade de pessoas que estão sangrando emocionalmente sobre si e sobre os outros. Também aprendemos cedo na vida que estar doente pode ter suas próprias recompensas. Crianças com dor de estômago podem faltar à escola, ficam isentas de tarefas e recebem atenção extra.

14 SCHLESSINGER, Laura. **Bad Childhood — Good Life**. New York: Harper Collins, 2006. p. 2.

15 Ibidem, p. 23.

Não seja uma vítima profissional. Sim, você passou por coisas ruins. Mas, como está prestes a ver, as coisas podem melhorar. O seu cônjuge e os seus filhos contam com você.

3

CURANDO AS NOSSAS FERIDAS

> O pior legado de abuso na infância com que alguém pode viver é a ignorância de como ter uma vida adulta normal, equilibrada e saudável!
>
> — Dra. Laura Schlessinger, *Bad Childhood — Good Life*

Ok! Agora que você tem uma melhor compreensão de todas as coisas ruins que acontecem às crianças (e também com você), vamos passar o restante do livro em discussões positivas e transformadoras.

Recentemente ouvi uma conversa no rádio com o neuropsicólogo dr. Mario Martinez que disse que todas as feridas podem ser classificadas em três categorias: vergonha (que o corpo sente como quente), abandono (sente como frio) e traição (sente quente/raiva). A vergonha, disse ele, é curada ao experimentar a honra. O abandono é curado ao experimentar o comprometimento. E a traição é curada ao experimentar a lealdade. Se isso é verdade, compreender as nossas feridas pode nos revelar como ajudar essas feridas a ser saradas ou, pelo menos, a lidar com elas de forma mais eficaz.

Para poder se tornar o tipo de pai que deseja ser e o tipo que seus filhos merecem, primeiro você precisa lidar com as questões do seu passado. *Pesquisas mostram que, quando um pai resolve seus traumas, seus filhos se saem bem.* Mas esse é um empreendimento constante, para a vida toda. É uma jornada, não um destino. Você nunca estará completamente "curado". Mas a boa notícia é que nunca é tarde demais para começar, e as coisas melhoram — melhoram muito! Confie em mim.

Esse processo inclui cura de feridas da infância e aprender o que significa ser um pai saudável. Antigas questões da infância sempre vêm à tona durante períodos de estresse e pressão. Conheço diversas pessoas que pareciam ter tudo sob controle até que os desafios da vida se apresentaram e derrubaram a base sobre a qual estavam. Ter filhos é uma forma infalível para que antigos problemas ponham a cabeça feia para fora. Isso porque não há como evitar essas questões uma vez que você tem seus próprios filhos. E, se você não está curado de seus problemas, começará a agir de forma estranha, geralmente imitando os seus pais. Depois, você começará a se sentir culpado, o que piora ainda mais o problema. Acrescente ainda outros problemas da vida, como problemas conjugais, problemas no trabalho, desafios financeiros ou a morte de uma pessoa querida e, de repente, você se encontra sobrecarregado sem nem mesmo saber por quê.

Todos têm alguma ferida da infância. Algumas são pequenas e mal dá para perceber; outras são monstros que dilaceram a alma da pessoa. Fiz a seguinte afirmação em um capítulo sobre essas feridas em um livro anterior:

> As feridas que recebemos no coração e na alma podem nos aleijar ou nos motivar a realizar grandes coisas na vida. Sem dúvida, elas são um dos maiores obstáculos para que tenhamos mais intimidade no nosso relacionamento. Nossas feridas determinam a maneira pela qual respondemos a coisas que nos são ditas e como tratamos outros na nossa vida. Feridas que não são tratadas permanecem abertas e nos infectam, até finalmente vomitarmos seu veneno sobre aqueles que amamos e cuidamos. Mas feridas tratadas podem vir a ser uma fonte de grande inspiração e sabedoria.[1]

Se uma ferida não for curada, ela controla a nossa vida. Permanecemos presos numa armadilha e ficamos vulneráveis a relacionamentos tóxicos e a outras práticas que não são saudáveis. Além disso, nossa ferida pode se transformar em um ídolo que adoramos. Algumas pessoas guardam suas feridas e de vez em quando as tiram para fora e cutucam apenas para sentir dor. Elas as tratam como velhas amigas. Não somos responsáveis pelo que nos aconteceu na infância, mas somos completamente responsáveis pela forma com que lidamos com isso agora.

Além disso, a necessidade de aprovação dos pais é tão forte que retornamos repetidas vezes àquele poço envenenado, ansiando desesperadamente receber algum dia a água fresca e revigorante de que a alma precisa. Mas ela continua sendo amarga e acre, queimando a boca e a garganta enquanto escorre até o interior. Em algum momento, precisamos perceber que as pessoas que deveriam nos ter amado incondicional-

1 Johnson, Rick I. **Romancing Your Better Half**. Grand Rapids: Revell, 2015. p. 123-124.

mente eram incapazes disso por inúmeros motivos. Por mais injusto que pareça, nunca ouviremos as coisas que precisamos ouvir para receber o amor e o cuidado de que necessitamos. Nesse momento, é preciso diminuir as expectativas a fim de não continuarmos a nos machucar cada vez que estendemos as mãos, esperando resultados diferentes. É preciso encontrar esse amor e apoio em outras fontes.

O desafio em curar feridas e mudar a nossa vida é que força de vontade apenas não é suficiente. As experiências passadas estão gravadas no subconsciente e as decisões instantâneas que tomamos em momentos de estresse vêm diretamente do nosso subconsciente. Força de vontade exige um ato consciente.

Infelizmente, a mente inconsciente é muito mais poderosa do que a mente consciente, com uma capacidade 200 mil vezes maior de processamento.[2] Por experiência própria, exige tempo e muito esforço para "reprogramar" a mente subconsciente e mudar os comportamentos aprendidos. Podemos iniciar compreendendo a dinâmica de uma família abusiva e como isso influencia a nossa vida.

Compreendendo a dinâmica da nossa família

Para poder mudar o futuro, é importante compreender o passado. Ao reconhecermos a dinâmica da família em que crescemos, podemos mudar essa dinâmica — ou pelo menos fazer adaptações para torná-la mais saudável — na nossa nova família. O desafio para muitos de nós é que podemos estar longe de casa por muitos anos e, assim que retornamos, voltamos a ser as velhas pessoas da infância.

2 Brooks, David. **The Social Animal:** Hidden Sources of Love, Character, and Achievement. New York: Random House, 2011. p. 239. [**O animal social.** Rio de Janeiro: Objetiva, 2014.]

Roberta M. Gilbert, em seu livro *The Eight Concepts of the Bowen Theory* [Os oito conceitos da teoria Bowen], descreve a teoria do sistema familiar do dr. Murray Bowen. De acordo com essa teoria, um curso superior de vida baseia-se no pensamento racional, não nos sentimentos, que são transitórios. Essa teoria baseia-se na família como unidade emocional em vez de nos indivíduos que compõem a unidade. Também se fundamenta em observações em vez de no pensamento e sentimento dos indivíduos ou no que dizem sobre si ou sobre os outros. O sistema emocional da família opera como uma unidade que afeta cada um dos membros da família.

No sistema emocional da família nuclear, quando casais se casam, eles desenvolvem estratégias para lidar com problemas (algumas saudáveis, outras não). Essas estratégias são passadas para os filhos — geralmente na forma de ansiedade que passa com facilidade de uma pessoa para outra no grupo. Há dois tipos de ansiedade: aguda e crônica. A aguda ocorre diariamente quando ficamos estressados com alguma coisa — por exemplo, somos censurados no trabalho ou alguém nos dá uma fechada no trânsito. A ansiedade crônica é o tipo que permanece conosco nos bastidores e foi programada em nós nos primeiros anos da infância.[3]

Todos nós carregamos certo nível de ansiedade crônica da família de origem em segundo plano que leva a determinado nível de hormônios, como adrenalina e cortisol, no corpo. Pessoas provenientes de famílias muito disfuncionais carregam grande quantidade de ansiedade e estresse (bem como níveis elevados desses hormônios). Quando nos casamos, a nossa nova

3 Gilbert, Roberta M. **The Eight Concepts of the Bowen Theory**. Stephens City, VA: Leading Systems Press, 2004. p. 1-2.

família gera tipos diferentes de ansiedade; e isso leva à liberação de hormônios diferentes, produzindo um "efeito cascata" e estimulando centenas de interações químicas. A ansiedade é viciante, o que quer dizer que cada circunstância acrescenta novos níveis de ansiedade sobre a ansiedade que já carregamos normalmente. Alguns dos efeitos indesejados dessa ansiedade adicional podem incluir ganho de peso, suscetibilidade a infecções, úlceras e possivelmente efeitos de envelhecimento no cérebro (demência). Quando pessoas com índices elevados de estresse preliminar passam por uma circunstância externa, como revés nos negócios, auditoria do imposto de renda ou mesmo mudanças normais da vida, a ansiedade sobe a níveis muito mais altos do que o normal e elas têm a tendência de responder a todas as situações com níveis mais elevados de ansiedade.[4] Como a família é uma unidade, quando um membro fica estressado, todos se sentem ansiosos. Até mesmo a tentativa de resolver a ansiedade gera sua própria ansiedade.

Diferenciação

Diferenciação é o termo que psicólogos usam para descrever a força individual dos membros da família. O grau de individualidade que cada membro tem depende de quanto está fundido no relacionamento familiar. Pessoas de famílias disfuncionais tendem a estar na parte inicial da escala, o que quer dizer que estão muito fundidas umas com as outras e são facilmente afetadas pelo nível de estresse umas das outras. Pessoas na parte inicial da escala estão vulneráveis ao estresse e levam mais tempo para se recuperar. Elas vivem em um

4 GILBERT, Roberta M. **The Eight Concepts of the Bowen Theory**. Stephens City, VA: Leading Systems Press, 2004. p. 8-9.

mundo "baseado em sentimentos" no qual os sentimentos dominam a razão objetiva. Os sentimentos são a "verdade", não importam os fatos. Em relacionamentos mais fundidos (a parte inferior da escala), a ansiedade é transmitida com mais facilidade entre as pessoas. Isso faz que as pessoas reajam de forma emocional a situações de estresse. Ao tomar decisões e confrontar problemas, elas podem concordar com ou discordar de um curso de ação baseado no relacionamento em vez de nos fatos ou no raciocínio lógico. Isso também é conhecido como *pensamento de grupo*.[5] O *Dicionário Webster* define *pensamento de grupo* como "um padrão de pensamento caracterizado por enganar a própria pessoa, consentimento forçado e fabricado e conformar-se aos valores e à ética do grupo". Em famílias disfuncionais, isso pode se manifestar na síndrome da família "normal", em que se exige que cada membro da família preserve a fachada de normalidade para o mundo exterior, apesar de os fatos mostrarem o contrário.

Pessoas no final do espectro estão menos fundidas nos relacionamentos e por isso esses relacionamentos tendem a ser melhores e menos estressantes. No casamento, a diferenciação é o processo pelo qual cada cônjuge mantém uma identidade saudável ao mesmo tempo que desenvolve um relacionamento de intimidade, amor e vínculo com o outro. É a capacidade de manter seu senso do eu mesmo quando emocionalmente próximo a outros. Isso ajuda a impedir que as nossas feridas e bagagem interfiram no desenvolvimento de uma intimidade mais profunda e de uma prática sexual mais apaixonada com o nosso cônjuge. Mas também nos impede de

5 Gilbert, Roberta M. **The Eight Concepts of the Bowen Theory**. Stephens City, VA: Leading Systems Press, 2004. p. 27-32.

nos enredarmos tentando suprir as necessidades do cônjuge à custa do próprio bem-estar. A diferenciação desenvolve ternura, generosidade e compaixão em um relacionamento e capacita a pessoa a não guardar rancores e a se recuperar rapidamente de discussões, ao mesmo tempo que ainda mantém necessidades e prioridades individuais. Trata-se de um processo permanente que molda e desenvolve o indivíduo, além de ajudar o casal a manter sua singularidade e apegar-se ao outro e ser um.[6]

Não sei quanto a você, mas no lar onde cresci parecia que estávamos na parte de baixo do espectro. Uma coisa importante a lembrar sobre a diferenciação é que temos a tendência de desenvolver nosso nível de diferenciação na adolescência e deixar a casa dos pais no nível de diferenciação que eles alcançaram. Esse nível geralmente é passado de uma geração a outra. Pais disfuncionais costumam pressionar os filhos a se comportarem da mesma forma que eles, tentando validar ou mesmo regular suas próprias emoções. Isso impede as crianças de desenvolverem a habilidade de pensar, sentir e agir por si mesmas.[7] Cresci em uma casa com alcoolismo onde havia regras muito estritas em relação à lealdade à família (não conte a ninguém de fora), à autonomia (não pense que é melhor do que os outros crescendo e desafiando o *status quo*) e, acima de tudo, em relação à paternidade (as necessidades dos adultos eram as mais importantes, por isso os filhos tinham que cuidar dos pais). Isso certamente desafiou a minha capaci-

6 Schnarch, David. **Passionate Marriage:** Keeping Love & Intimacy Alive in Committed Relationships. New York: W. W. Norton & Co., 2009. p. 51.

7 Schnarch, David. **Passionate Marriage:** Keeping Love & Intimacy Alive in Committed Relationships. New York: W. W. Norton & Co., 2009. p. 4.

dade de expandir a minha visão de mundo e impôs restrições em como podia crescer como indivíduo e com a minha esposa como casal.

Pelo fato de eu e ela termos crescido em lares com muito estresse, cada um de nós carregava uma tonelada de estresse e hormônios preliminares em nosso sistema. Unidos ao estresse que nós mesmos criamos, levou algum tempo para descobrirmos o que estava acontecendo e aprendermos a lidar de modo eficaz com essas circunstâncias de maneira produtiva em vez de jogar tudo para o ar durante uma crise.

A segunda questão que precisamos compreender em relação ao nosso nível de diferenciação é que é difícil mudar. Temos a tendência de casar com alguém que está no mesmo nível que nós. Embora gostemos de *pensar* que um dos cônjuges é muito mais avançado emocionalmente, isso simplesmente não é verdade. Esse fator exige que os dois mudem juntos nessa área a fim de alcançarem resultados positivos eficazes.

Tendo tudo isso em vista, como podemos curar as nossas feridas de modo que mudemos a dinâmica familiar que nos foi passada na infância? A instrução é o primeiro passo para a mudança acontecer. Agora que você sabe o que acontece e por que, pode usar a informação a seguir para ajudar a curar diferentes áreas da vida e seguir em frente adaptando novas estratégias para se tornar um pai atóxico.

Compreendendo as nossas feridas

Erik Erikson é conhecido por sua teoria do desenvolvimento psicossocial em seres humanos. Ele desenvolveu sua famosa teoria e o conceito de crise de identidade, apesar de não ter um diploma de medicina nem de psicologia. Sua teoria focava em como as influências sociais (trauma, abuso, divórcio etc.) contribuem para a personalidade ao longo de toda a vida da pessoa. Abaixo apresento um resumo dos estágios de desenvolvimento psicossocial e o resultado necessário de cada estágio:

Estágio: Infância (do nascimento aos 18 meses)
Conflito básico: confiança *versus* desconfiança
Resultado: A criança desenvolve um senso de confiança quando os cuidadores proporcionam confiabilidade, cuidado e afeição. A falta leva à desconfiança.

Estágio: Primeira infância (de 2 a 3 anos)
Conflito básico: Autonomia *versus* vergonha e dúvida
Resultado: A criança precisa desenvolver um senso de controle pessoal sobre as habilidades físicas e um senso de independência. O sucesso leva a sentimentos de autonomia; o fracasso resulta em sentimentos de vergonha e dúvida.

Estágio: Pré-escolar (de 3 a 5 anos)
Conflito básico: Iniciativa *versus* culpa
Resultado: A criança precisa começar a exercer controle e poder sobre o ambiente. O sucesso neste estágio leva a um senso de propósito. Crianças que tentam exercer poder demais experimentam a desaprovação, resultando em um sentimento de culpa.

Estágio: Idade escolar (de 6 a 11 anos)
Conflito básico: Destreza *versus* inferioridade
Resultado: A criança precisa lidar com novas exigências sociais e acadêmicas. O sucesso leva a um senso de competência, ao passo que o fracasso resulta em sentimentos de inferioridade.

Estágio: Adolescência (de 12 a 18 anos — observação: hoje em dia, a idade neste estágio provavelmente ultrapassa os 18 anos)
Conflito básico: Identidade *versus* confusão de papéis
Resultado: Os adolescentes costumam desenvolver um senso do eu e da identidade pessoal. O sucesso conduz à habilidade de permanecer verdadeiro a seu eu, ao passo que o fracasso conduz à confusão de papéis e a um senso frágil de si mesmo.

Estágio: Idade adulta inicial (de 19 a 40 anos)
Conflito básico: Intimidade *versus* isolamento
Resultado: Jovens adultos precisam formar relacionamentos íntimos e amorosos com outras pessoas. O sucesso conduz a relacionamentos fortes, ao passo que o fracasso conduz à solidão e ao isolamento.

Estágio: Idade adulta intermediária (de 40 a 65 anos)
Conflito básico: Geratividade *versus* estagnação
Resultado: Os adultos precisam criar ou cuidar de coisas que os ultrapassarão. Geralmente alcançam isso tendo filhos ou criando mudanças positivas que beneficiam outras pessoas. O sucesso conduz a sentimentos de utilidade e realização, ao passo que o fracasso resulta em pouco envolvimento com o mundo.

Estágio: Maturidade (de 65 anos até a morte)
Conflito básico: Integridade do ego *versus* desespero
Resultado: Adultos mais velhos precisam olhar para trás na vida e ter a sensação de realização. O sucesso neste estágio conduz a sentimentos de sabedoria, ao passo que o fracasso resulta em pesar, amargura e desespero.[8]

8 Cherry, Kendra. Erikson's Psychosocial Stages Summary Chart, updated April 24, 2016. Disponível em: <http://psychology.about.com/od/psychosocialtheories/fl/Psychosocial-Stages-Summary-Chart.htm/>.

Ao passarmos por cada estágio da vida, ou atingimos os "objetivos" daquele estágio com sucesso ou não (a fim de manter a simplicidade, vamos pensar em termos de experiências de sucesso/fracasso). Geralmente qualquer trauma ou abuso que aconteça durante esse período de tempo nos impede de alcançar o objetivo daquele estágio. Por exemplo, se a pessoa que cuida de nós não nos alimenta nem proporciona afeição adequadamente, fracassamos em desenvolver uma confiança saudável e nos tornamos pessoas desconfiadas. Ou talvez sejamos bem cuidados nos primeiros três estágios da vida e desenvolvemos confiança, autonomia e iniciativa, mas, às vezes, durante o estágio dos 6 aos 11, somos abusados sexualmente por um parente. Esse trauma nos leva a desenvolver um senso de inferioridade durante aquele estágio da vida.

Geralmente, uma vez que fracassamos em alcançar o objetivo positivo de determinado estágio, isso é transportado para os estágios seguintes e também afeta negativamente tais estágios. Sem algum tipo de intervenção positiva (aconselhamento etc.), continuaremos fracassando em alcançar o atributo positivo de cada estágio sucessivo da vida. Alcançar os objetivos em cada estágio parece facilitar alcançar o objetivo do estágio seguinte. Portanto, alguém com um sentimento de inferioridade desde o estágio da idade escolar provavelmente vivenciará a confusão de papéis no estágio seguinte, irá se isolar e fracassar em desenvolver relacionamentos fortes depois disso, se envolverá menos com o mundo como adulto e, finalmente, terminará a vida com profundos sentimentos de pesar, amargura e desespero. Esse exemplo resume perfeitamente a minha forma de ver a vida dos meus pais. Nenhum deles se recuperou do estágio da infância em que foram feridos e continuaram fracassando em cada estágio sucessivo da vida até falecerem como pessoas amarguradas, solitárias e raivosas.

Apresento a seguir as observações de uma mulher que gerenciou abrigos para pessoas de rua:

> Ao longo dos anos, trabalhei com homens, mulheres e crianças desabrigados. Muitos pararam em algum estágio da vida em que sofreram um trauma. Eles costumam permanecer nesse ciclo. Por isso, não são capazes de funcionar normalmente. Aprendi que eles parecem ter uma mentalidade que se recusa a assumir a responsabilidade por suas ações. Eles sentem que têm esse direito por causa de sua situação. Leva muito tempo para mudar esse pensamento e ajudá-los a sarar. Não acontece de uma hora para outra nem em poucas semanas. É um processo que leva tempo e envolve muito trabalho.

A boa notícia é que podemos voltar e curar ou reverter o resultado de sucesso/fracasso de cada um dos estágios da vida. Por exemplo, digamos que você durante toda a vida tenha se sentido envergonhado, mas sem saber por quê. Um conselheiro pode trabalhar com você para tentar descobrir o que lhe aconteceu na primeira infância que o levou a falhar em desenvolver autonomia. Eles, então, poderão definir exercícios ou "temas de casa" para ajudar você a desenvolver confiança e uma autoestima saudável. Ou talvez na adolescência você tenha passado por abuso sexual. De repente, você fica confuso em relação a seu papel (possivelmente até com sua identidade sexual) na vida. É possível que quando adulto você tenha dificuldade em compreender o seu papel como homem ou mulher, marido ou esposa, ou pai. Um conselheiro pode ajudar você a voltar àquele estágio e trabalhar para desenvolver a sua identidade e ajudar a eliminar a sua confusão.

Depois de anos de aconselhamento, acompanhamento e instrução, lembro-me do sentimento de finalmente compreender o meu papel como homem, esposo e pai. De repente, sentia-me "confortável nas minhas funções" por assim dizer. Isso me trouxe confiança em todas as áreas da vida, deixei de ser tão isolado e lancei-me a tentar ajudar as pessoas e a fazer do mundo um lugar melhor. Hoje sinto que tenho alguma sabedoria para oferecer ao mundo e irei para o túmulo sentindo-me bem com as contribuições que fiz e as marcas que deixarei.

Além disso, ao revertermos tais contratempos no nosso próprio desenvolvimento, aumentamos muito a chance de não os transmitirmos aos nossos filhos. Às vezes, apenas passar pelo processo de cura pode ser uma experiência de aprendizado para os nossos próprios filhos. Certamente, compreender esses estágios de desenvolvimento nos ajuda a saber o necessário para sermos competentes e ajudarmos os nossos filhos a atravessá-los. Isso nos ajudará a desenvolver uma paternidade intencional em vez de simplesmente reativa.

Corpo, alma e espírito

Quando estamos traumatizados ou sofremos abuso, isso afeta os três componentes do nosso ser: corpo, alma e espírito. O corpo equivale ao ser físico, a alma é nossa parte emocional e o espírito é o aspecto espiritual do nosso ser. Geralmente, focamos em um dos três e pensamos que isso deixará tudo certo. Por exemplo, se estamos sofrendo de depressão, podemos tratar o corpo comendo refeições saudáveis, dormindo o necessário e fazendo muito exercício. Mas isso só trata dos sintomas da doença, não da essência. A parte emocional é tratada com medicação e aconselhamento, que também é extremamente útil, mas mais uma vez só trata de parte da questão. Para curar completamente, você precisa tratar ambos os aspectos (corpo e emoções), bem como o componente espiritual.

A maioria das comunidades espirituais, tais como igrejas, costumam focar apenas no aspecto espiritual das nossas feridas. Esse é um componente importante, mas trata apenas de 33% do problema. Além disso, na igreja temos a tendência de dizer às pessoas que estão sofrendo por feridas dessa natureza coisas do tipo: "Apenas ore mais", ou "Se você realmente cresse, seria capaz de superar isso". "Simplesmente esqueça e siga em frente" é algo impossível, a menos que se faça uma lobotomia. Essas declarações não são apenas falsas, como também mais destrutivas. Nós que estamos na igreja (especialmente professores e líderes) precisamos seguir o exemplo de Tiago quando diz: "Sejam todos prontos para ouvir, tardios para falar e tardios para irar-se" (Tiago 1.19).

Um homem me contou ter se encontrado com seu pastor e confidenciado que tinha aids. O pastor ficou muito irado e gritou: "Como você ousa trazer para nossa igreja essa doença causada por seu estilo de vida?". O homem me disse: "Tentei explicar que contraí o vírus HIV quando fui molestado na infância, mas ele não queria me ouvir". Quando o nosso "não" não impediu alguém de nos causar mal na infância, a nossa dor só aumenta quando as pessoas fazem suposições sobre nós como seres humanos.

Abuso (infantil e violência doméstica) parece ser um assunto tabu na igreja e na comunidade cristã. Nunca ouço nenhum sermão sobre isso e há muito poucos *workshops* e seminários (embora Celebrando a recuperação deva ser considerado) sobre o tema. Talvez porque seja um tópico tão desconfortável, as pessoas costumam evitá-lo na companhia de pessoas polidas. Mas ouso dizer que uma parte significativa de qualquer congregação está sofrendo por feridas na infância. Encontraríamos pessoas mais dispostas a aceitar e a alegrar-se na boa notícia do evangelho se fizéssemos o esforço de curar as feridas interiores.

Uma forma de abordar o tratamento de feridas espirituais por abuso na infância pode ser tratá-las como a uma ferida física. O que fazemos quando temos um corte na perna? Nós o limpamos, mantemos limpo e, se for maior do que podemos tratar, buscamos ajuda. O que acontece se negligenciamos um ou mais desses passos? A ferida infecciona, não é? O que é válido para o exterior é válido para o interior. Limpamos as nossas feridas confessando os nossos pecados, pedindo perdão a Deus e pedindo que ele nos purifique de toda injustiça. (Tenha em mente que, se você foi abusado quando criança, não foi *você* que pecou.) Depois, nós as mantemos limpas perdoando os que pecaram contra nós. E, se a ferida for grande demais, permitimos que outros entrem na nossa vida para nos aconselhar e orar por nós. Como diz Provérbios 27.17: "Assim como o ferro afia o ferro, o homem afia o seu companheiro". Mas as pessoas relutam em limpar suas feridas.

Quando era um menininho, lembro-me de ter visitado a casa do meu tio. Para me exibir, subi na bicicleta de um dos meus primos e desci um morro íngreme na frente da casa deles. Estava indo a toda velocidade quando percebi um carro saindo de uma viela em rota de colisão comigo. Como eu não tinha escolha, atirei a bicicleta no asfalto. O guidão prensou o meu dedo contra o pavimento enquanto derrapava até parar. Quando me arrastei até a casa com um dedão que mais parecia um hambúrguer, a minha mãe imediatamente pegou uma escova e tirou todo pedregulho do machucado. Contra os meus gemidos de protesto, ela espalhou Mertiolate generosamente. Pulando e assoprando o dedo, jurei nunca mais mostrar uma ferida aberta. Embora a ferida fosse dolorosa, a cura parecia pior.

O mesmo é válido para aqueles que foram feridos na infância. Não buscamos ajuda porque pensamos que a cura é pior do que o problema. Já fomos muito feridos; por que sofrer novamente? Não se engane, a cura e a mudança são difíceis. É doloroso, leva muito tempo e exige coragem e firmeza. Mas, por um enfoque holístico, é mais fácil e menos doloroso a longo prazo passar pelo processo. Precisamos sofrer a dor novamente, porque, se não sofrermos, nunca seremos felizes e provavelmente transmitiremos comportamentos negativos aos nossos filhos.

Honrando pai e mãe

Dos Dez Mandamentos, aquele com os quais as pessoas que sofreram abuso têm mais dificuldade é o que orienta: "Honra teu pai e tua mãe". Como você honra um pai ou uma mãe que o feriu fisicamente, causando grande sofrimento emocional ou que o atacou sexualmente? Vamos ver algumas formas de tornar isso possível.

Uma forma de honrar o pai e a mãe — principalmente quando eles não foram pessoas honradas — é reconhecendo as coisas boas que fizeram (eu sei, mas aguente um pouco). Eles ensinaram a você algumas coisas, mesmo que essa não tenha sido a intenção deles. Por exemplo, se você viveu com pais alcoólatras como eu, sendo o filho mais velho, muitas vezes precisei criar meus irmãos. Assim, aprendi muitas habilidades que me ajudaram mais tarde na vida. Aprendi responsabilidade, aprendi a ser organizado, bem como autossuficiente, e desenvolvi o caráter pelo sofrimento. Também aprendi coisas práticas como lavar roupas, cozinhar, lavar a louça, aspirar o chão e lustrar os móveis. Também fui forçado a ganhar meu próprio dinheiro para comprar roupas e outras coisas, portanto aprendi a começar e manter em funcionamento diversos negócios quando era bem jovem. Ter um negócio de entrega de jornais e de corte de grama aos 12 anos ensinou-me os fundamentos da direção do pequeno negócio, o que me foi útil durante toda a vida. Ensinou-me o valor do trabalho duro e as recompensas da perseverança. Finalmente, ter a coragem quando criança de rejeitar o estilo de vida dos meus pais fez que muito abuso se amontoasse sobre os meus ombros. Mas essa coragem deu-me a oportunidade de tentar coisas novas que muitas pessoas têm medo de tentar, tais como iniciar meu próprio negócio, escrever livros e falar a grandes plateias.

Além disso, houve coisas boas que os meus pais fizeram (nem *tudo* era ruim). Eles mantinham um teto sobre a nossa cabeça (por mais tumultuado que fosse seu interior). Não me lembro de ter passado fome, embora as refeições geralmente deixassem muito a desejar. E, quando não estavam bebendo, o que não era muito frequente, eles podiam ser pessoas até bem decentes.

Todavia, lutei por anos em como cumprir esse mandamento. Finalmente, um pastor amigo explicou como ele acreditava que podíamos honrar pais que não mereciam ser honrados. Ele disse que, se vivêssemos de modo honrado, se fôssemos pessoas honradas, estávamos honrando os nossos pais. Essa foi uma grande revelação para mim. Eu sabia que podia viver uma vida honrada, uma vida que trouxesse honra aos meus pais — se estivessem dispostos a aceitar (o que não estavam). Mas reconhecerem ou não o dom que eu estava lhes oferecendo não era a questão. As minhas ações cumpriam o que aquele mandamento exigia quando eu era incapaz de cumpri-lo de qualquer outra maneira.

Se você for um sobrevivente de abuso, aprendeu certas técnicas de sobrevivência que são úteis hoje. Embora as cicatrizes (ou mesmo as feridas abertas) que carrega hoje possam não parecer que valeram o esforço, elas fazem quem você é atualmente. Muitas pessoas já me perguntaram se eu desejava que a minha infância tivesse sido melhor. Eu lhes respondi que não. Embora não considere aquelas experiências agradáveis, as coisas pelas quais passei na infância permitem-me relacionar-me com outras pessoas que passaram por situações semelhantes. Elas formaram quem sou. Eu não poderia ser usado por Deus para tocar a vida de muitas, muitas pessoas se não tivesse passado por aquelas experiências. Os desafios que você passou desenvolveram parte de quem você é — geralmente as melhores partes. Se estivermos dispostos, Deus pode usar nossas piores feridas para ministrar a outros através de nós.

A minha esposa e eu tivemos diversas conversas ao longo dos anos sobre como a nossa vida teria sido se tivéssemos pais saudáveis e amorosos que nos encorajassem e ensinassem as habilidades para ter sucesso na vida. Onde estaríamos? O que teríamos realizado? Que tipo de potencial poderíamos ter tido que foi desperdiçado? Como teria sido desfrutar de uma infância inocente e livre de preocupações? Lamentamos a perda de quem poderíamos ter sido caso tivéssemos a vantagem de ter bons pais e uma vida familiar amorosa. Mas, então, certo dia, uma ideia mudou completamente a minha forma de ver a questão. Em seu livro *Get Out of That Pit* [Saia do buraco], a escritora e preletora Beth Moore trata exatamente dessa questão. Eis o que ela diz: "Podia ter certeza que Keith (seu marido) estava lamentando o potencial que poderia ter tido se a vida não o tivesse lançado em uma direção diferente. 'Querido', respondi, 'você é uma pessoa muito mais estruturada *curado* do que teria sido estando bem' ". Ela prossegue dizendo a todos nós: "Você tem a capacidade de ser uma pessoa dez vezes mais estruturada *curada* do que seria permanecendo simplesmente bem. A riqueza de experiência que tem o enriquece. Use-a em pessoas feridas. Elas precisam tanto".[9]

Deus pode usar seu abuso na infância para fazer grandes coisas e você também pode. Eis o ditado sobre fazer limonada com os limões da vida. Se você transformar as experiências negativas em positivas usando-as para ajudar os outros, então terá sabido aproveitá-las.

9 MOORE, Beth. **Get Out of That Pit**. Nashville: Thomas Nelson, 2007. p. 44-45. [**Saia do buraco.** Rio de Janeiro: Thomas Nelson Brasil, 2007.]

4

PASSOS PRÁTICOS PARA A CURA

> A cura pode não estar tão relacionada a melhorar,
> mas a livrar-se de tudo que não pertence a você —
> todas as expectativas, todas as crenças — e
> se tornar quem você é.
> — Rachel Naomi Remen

Agora que tratamos de algumas feridas interiores, quais são os passos práticos que podemos dar para mudar de vida? Passei muitos anos tentando conquistar o mundo e matar os meus próprios demônios antes de finalmente encontrar a cura. A seguir apresento alguns passos que me ajudaram a superar o passado. Os passos não estão necessariamente em ordem e independentes uns dos outros. E certamente não são as únicas formas de recuperar o controle sobre o passado, mas foram úteis para mim. Alguns deles podem funcionar melhor para você em uma ordem diferente da que os listei e, com certeza, alguns se sobreporão aos outros. Não obstante, você precisa fazer algo ou nunca encontrará cura e paz interior.

Instrução — Causa e efeitos

Quando somos traumatizados (por qualquer coisa), desenvolvemos certas técnicas de sobrevivência que nos parecem lógicas quando as realizamos inconscientemente. Em primeiro lugar, a traição é um fator muito importante nas feridas que recebemos na infância. Quando as pessoas de quem deveríamos poder depender incondicionalmente para receber amor, abrigo, afeição, cuidado e treinamento nos traem, isso cria feridas que nos impedem de confiar em outras pessoas e até amá-las. Pessoas feridas costumam exibir diversas características comuns, inclusive apegar-se à dor, tentar resolver a situação sozinho, temer ficar vulnerável, não buscar ajuda, resistir à mudança e nunca expressar sua dor ou raiva (o que é compreensível se você foi punido por expressar essas emoções quando criança). É preciso coragem para lidar com a dor.

O primeiro passo para a cura ou mudança é aprender o que aconteceu com o cérebro quando fomos traumatizados. Leia livros, participe de seminários e *workshops* e veja vídeos sobre o assunto. Quando temos uma compreensão básica do que estamos enfrentando, muitas coisas que estamos fazendo que podem ter nos deixado confusos no passado ocuparão seu devido lugar. Uma vez que isso aconteça, podemos seguir em frente e expandir o nosso conhecimento.

Grupos de apoio podem ser muito úteis na jornada em direção à cura. Há uma grande variedade de grupos de apoio para adultos sobreviventes. Adult Survivors of Child Abuse

[Adultos Sobreviventes de Abuso Infantil] é um programa de apoio individual e em grupo para adultos que sofreram negligência ou abuso físico, sexual e/ou emocional na infância. Se você sofre com vícios, organizações como os Alcoólicos Anônimos (AA) e Narcóticos Anônimos podem trazer muitos benefícios. Você pode encontrar grupos de apoio em sua região que o ajudem a superar o abuso.

Descobri que frequentar um grupo de filhos adultos de alcoólicos podia ser muito útil. Não me lembro de como decidi inicialmente ir a um grupo assim, mas sei que não estava muito entusiasmado na primeira vez. Na verdade, foi preciso muita coragem. Naquela época, eu não era exatamente o tipo de pessoa que gostava de aconselhamento e pensava que era uma coisa "sentimental". Acho que talvez simplesmente tenha chegado a um ponto em que estava tão infeliz que sabia que, se não fizesse algo diferente, nada nunca iria mudar e não queria passar o resto da vida sendo o tipo de pessoa que era. Quando finalmente fui, a coisa mais reveladora para mim foi descobrir que havia pessoas que pensavam e agiam *exatamente* como eu. Eu pensava que todos os meus problemas eram únicos e que ninguém mais poderia compreendê-los. Imagine como foi revigorante encontrar um grupo inteiro de pessoas que sabiam exatamente o que eu estava sentindo e pensando antes mesmo de falar. Era como ter passado a vida inteira míope e um dia colocar óculos; o mundo inteiro pareceu entrar em foco. Esse grupo e essas pessoas me permitiram experimentar inúmeras revelações sobre por que eu respondia a certas situações como respondia e como podia lidar com essas situações de forma mais produtiva. Isso me permitiu crescer até o estágio seguinte da minha cura e desenvolvimento.

A maioria dos grupos dessa natureza serve a um propósito específico de curto prazo. Observei que algumas pessoas que permaneciam nesses grupos por longos períodos repetiam o passado e nunca seguiam em frente. Isso me pareceu contraprodutivo, mas suspeito que cada pessoa tem um tempo específico de cura e desenvolvimento antes de seguir em frente (os AA podem ser uma exceção).

Em algum momento, precisamos seguir em frente. Somente ir a um grupo de apoio não é suficiente para a cura. Beth Moore comenta: "Se continuarmos a dar tapinhas nas nossas costas feridas, como elas irão curar?".[1] Como disse Jesus: "Pode um cego guiar outro cego? Não cairão os dois no buraco?" (Lucas 6.39).

O passo seguinte na recuperação precisa incluir aconselhamento profissional.

Aconselhamento

A ajuda profissional é essencial se você foi vítima de abuso físico ou sexual. Se atualmente você usa drogas ou álcool para amortecer a dor, precisa tratar dessas questões em primeiro lugar — você não pode adquirir controle sobre a sua vida se está sendo controlado pelo vício. Os vícios ditam as ações e motivações de uma alma cheia de sofrimento.

O passo seguinte no meu processo de cura envolveu aconselhamento pessoal e de casal. Várias vezes ao longo dos anos, a minha esposa e eu fizemos aconselhamento juntos e individualmente, às vezes ao mesmo tempo, mas geralmente

1 MOORE, Beth. **Get Out of That Pit.** Nashville: Thomas Nelson, 2007. p. 103.

um ou outro. Aprendi diversas coisas com esse processo. Primeiro, é muito importante encontrar o conselheiro certo. Para mim, especialmente depois de me tornar cristão, descobri que é imperativo ter um conselheiro cristão. Também, como homem, senti a importância de ter um conselheiro do sexo masculino que pudesse compreender alguns dos desafios que eu enfrentava e que eram singulares por ser homem. A minha esposa também sentiu que ter uma mulher como conselheira era importante pelos mesmos motivos.

Encontrar conselheiros de casais foi um pouco mais difícil. Tivemos conselheiros do sexo masculino e do sexo feminino durante o processo. Descobrimos ser importante encontrar um que respeitasse ambos os cônjuges. Francamente, isso exigiu que passássemos por diversos conselheiros até encontrarmos um que fosse bom para nós. Por exemplo, várias das conselheiras que tivemos no início pareciam estar colocando a maior parte da culpa em mim por ser homem (e em todos os homens). Pode ser verdade que eu era o principal problema no nosso relacionamento, mas a minha esposa não se sentia confortável nem feliz com alguém que me esmurrava constantemente durante as sessões e em pouco tempo buscamos outras opções. Meu alívio, é claro, era perceptível.

Não estou certo de que idade (ou sexo) importa em relação aos conselheiros, mas sei que os dois conselheiros que mais me impactaram eram ambos homens idosos. Um era um psiquiatra que me ensinou mais em um ano do que eu aprendera a vida inteira — embora na época eu não tivesse consciência disso nem o apreciasse. Até hoje sou abençoado pelo tempo que passei com esse homem quando eu era jovem.

(Uma observação: esse homem era cristão e eu ainda não era. Ele não impôs seu sistema de crença sobre mim, mas guiou-me gentilmente levando-me a compreender algumas verdades da vida que estão na Bíblia. Onde quero chegar é que não creio que ter um conselheiro cristão seja uma desvantagem, mesmo que você não seja cristão.) Anseio vê-lo no céu algum dia e agradecer-lhe por sua sabedoria. Que alegria será contar-lhe como minha vida desenvolveu-se e o papel que ele desempenhou nisso.

Se você sofreu abuso, na minha opinião um conselheiro leigo ou mesmo um pastor não são qualificados para tratar desse tipo de questões. Você precisa de alguém com treinamento profissional nessas áreas específicas para o ajudar a sair do outro lado. Entretanto, ter o apoio de um pastor em conjunto com um conselheiro profissional pode ser uma abordagem bastante apropriada.

Periodicamente pago por algumas sessões de "ajuste" com um conselheiro apenas para me certificar de que ainda estou no rumo certo e que o meu esquema de pensamento não se desviou. Isso também me permite desabafar o estresse que pode se acumular e receber comentários objetivos sobre questões-chave com as quais estou lutando. No mínimo, é tranquilizador, especialmente quando estou acompanhando e aconselhando outras pessoas e escrevendo livros para ajudar pessoas exatamente com esses problemas.

Aconselhamento intenso exige trabalho duro, dedicação prolongada e custa caro. Mas faz parte do processo necessário para a cura. A minha esposa e eu decidimos ver isso como um investimento para o nosso futuro e por esse motivo estamos felizes. Os seus filhos também ficarão felizes por isso.

Mentoreamento

Não importa quanto nossa casa era disfuncional, como não tínhamos outros exemplos, quando crianças os considerávamos "normais". Mas a maioria das pessoas com quem converso que vieram de lares abusivos ou destruídos e que mudaram sua vida relata algo muito importante: em algum momento da vida todos tiveram uma pessoa, um casal ou família que serviu de modelo para eles do que era uma vida saudável. É extremamente importante ter essa visão como objetivo a alcançar e para proporcionar esperança. Como seres humanos, não sabemos o que não sabemos. Se nunca formos expostos a um novo "normal", vamos continuar pensando que a visão passada que temos da infância é a normal. Isso pode ser desencorajador e nos derrotar, sem mencionar ser destrutivo à nova família. Além disso, sem um modelo positivo para substituir o negativo, podemos eliminar o velho, mas deixar um vazio em seu lugar, e acabamos enchendo esse vazio com qualquer coisa que pareça certa, o que pode não funcionar muito bem. Sem uma visão para o futuro, sempre retornamos ao passado.

A cura acontece nos relacionamentos — não podemos sarar sozinhos. Quando a confiança é quebrada, você não pode reconstruí-la novamente, exceto por meio de outro relacionamento. Contudo, a minha experiência mostra que pessoas feridas costumam seguir conselhos de outras pessoas feridas em vez de pessoas saudáveis que poderiam lhes dar conselhos úteis. Elas agem assim porque outras pessoas feridas lhes dirão as coisas que desejam ouvir e porque se sentem confortáveis perto delas, sentem como se tivessem uma "ligação" com elas. É claro que seguir esse conselho será garantia de permanecer no mesmo ciclo de disfunção em que viveram toda a vida. Aliás, é difícil ter relacionamentos saudáveis com pessoas feridas.

Aos 24 anos, tive a felicidade de conhecer o meu pai biológico (eu convivera com ele durante os dois primeiros anos de vida, mas não me lembrava de como tinha sido o nosso tempo juntos). Ele tinha desejado me ver muitas vezes durante a minha infância, mas fora impedido por uma mãe vingativa. Com o passar dos anos, desenvolvemos um relacionamento próximo. Ele é um bom homem e fez diferença na minha vida. Por fim, ter um pai que fala palavras que abençoam foi profundamente importante para a cura. A poderosa bênção do pai que diz "tenho orgulho de você" e "eu te amo" curou muitas das feridas interiores que recebi no início da vida. Ele tem sido um modelo positivo de masculinidade, de como um homem deve portar-se e das habilidades que faltaram no meu crescimento. Simplesmente ter sua presença tem sido uma grande bênção na minha vida.

Sem mentores fazemos planos, mas geralmente eles não são realistas e têm poucas chances de sucesso. Se nunca recebermos as ferramentas para liderar uma família saudável, acabaremos retornando ao que conhecemos na infância. Essas táticas não funcionam. Um dos desafios que enfrentei como pai era que sabia que o que aprendera dos meus pais não era o modelo que eu queria seguir, mas não tinha nenhum outro exemplo para substituir aquele. Continuei lutando até que permiti que pessoas entrassem na minha vida, as quais eu podia observar como pais e com quem podia conversar e receber conselhos.

A minha vida mudou completamente quando tive a coragem de permitir que pessoas saudáveis (pelo menos mais saudáveis do que eu) entrassem na minha vida. Isso pode ser assustador para alguém que já se sente indigno, sem esperança ou inadequado. Nós já nos julgamos com severidade. Hesitamos em admitir as nossas faltas e nos expormos a mais críticas. Pessoas que sofreram abuso costumam isolar-se a fim de manter alguma aparência de controle sobre a vida. A ideia de ser criticado, repreendido ou zombado por alguém que tem uma vida "organizada" pode ser intimidadora. Mas descobri que a sabedoria, o encorajamento e a cura que recebi superavam o risco de permitir outras pessoas na minha vida. Na verdade, nenhum desses temores se realizou. Todas as pessoas com quem me abri foram compassivas e me ajudaram.

Em segundo lugar, procurei ativamente pessoas que poderiam fazer parte da minha vida e servir de mentores. Isso também pode ser assustador para qualquer um, saudável ou não, porque o medo da rejeição é um dos medos primários de todos os seres humanos. Geralmente, pensamos em um mentor como um confidente respeitável com quem temos um relacionamento pessoal. Mas mentores também podem ser alguém cujo conselho e ensino consideramos a certa distância. Aprendi muito sobre ser homem, marido e pai com o meu primeiro pastor, Stu Weber. Ele me ensinou muito com seus livros e sermões sem nunca falar comigo diretamente. Ele era um mentor para mim e nem sequer sabia disso. Também aprendi muito sobre casamento e paternidade com outros grandes escritores e pregadores que serviram de mentores "remotos" para mim.

Como pai, descobri que encontrar-me com um grupo de homens da nossa igreja foi essencial para me tornar um pai melhor. Homens que eu respeitava podiam me dizer coisas que eu poderia não receber muito bem da minha esposa ou de outras pessoas. Coisas como: "Você está errado nessa questão" ou "Você saiu da linha aqui". Eles também proporcionavam sabedoria coletiva sobre várias estratégias que funcionavam e que não funcionavam em situações específicas. Eles passaram por circunstâncias que eu não passei, o que me inspirou a como comportar-me se passasse por alguma delas. Finalmente, ter homens com quem conversar deu-me oportunidade de falar sobre coisas que somente outro homem compreenderia.

As mulheres também precisam de um grupo de amigas com quem falar coisas que os homens não estão interessados ou não podem entender. Elas precisam ter oportunidade de suprir suas necessidades pessoais de socialização e comunidade. Um dos problemas com pessoas que sofreram abuso no início da vida é que costumam se isolar (como foi ensinado por nossos pais). Mas precisamos de outras pessoas na vida. As mulheres especialmente precisam de outras mulheres com quem conversar, se relacionar e ter amizade.

Por causa do passado da minha esposa, ela foi afetada por vários problemas ao longo dos anos, entre eles as feridas causadas a ela por sua mãe. Felizmente, houve diversas mulheres mais velhas que ocuparam esse espaço e ajudaram a aliviar a dor.

Em virtude de um estilo de vida violento, Suzanne saiu de casa aos 13 anos, passando a viver basicamente nas ruas. Durante esse tempo, ela era estuprada por um menino mais velho que a reivindicava como sua propriedade e aos 14 anos ficou grávida. Ela entregou o bebê para adoção e voltou a fazer o ensino médio. Enquanto estava na escola, conheceu uma jovem professora de economia doméstica com quem desenvolveu certa afeição. Essa professora, a sra. S, só fez parte de sua vida por três meses, mas causou uma grande impressão em Suzanne antes de esta deixar a escola. Ela se importava genuinamente e tinha compaixão dela quando ninguém mais parecia ter, e Suzanne diz que a sra. S a fez desejar ser uma pessoa melhor. É quase inexplicável, mas a sra. S plantou uma semente de responsabilidade que fez Suzanne querer viver de tal forma que a sra. S ficasse orgulhosa dela algum dia.

Suzanne perdeu contato com a sra. S com o passar dos anos, mas não aquela semente, aquela ligação. Um dia, cerca de quinze anos atrás, estávamos no alto do prédio em que eu tinha escritório no centro de Portland, assistindo ao Desfile do Festival das Rosas. Enquanto milhares de pessoas passavam, a minha esposa de repente gritou com toda a força do alto do prédio de cinco andares: "Ei! Aquela é a sra. S!". Ela estava em uma grande banda tocando seu instrumento! Suzanne gritou: "Sra. S! Sra. S!". A sra. S olhou para cima, sorriu e gritou mais alto: "Olá, Suzanna!". Como uma reconheceu a outra depois de todos aqueles anos pareceu um milagre. Em pouco tempo, elas restabeleceram contato e permanecem próximas desde então.

Vários anos depois, o adorável marido da sra. S faleceu e ela passou conosco o feriado de Ação de Graças e outros. Nossa jovem filha adotou a sra. S como avó substituta, e elas passam tempo juntas costurando vestidos e conversando sobre coisas importantes que uma jovem deve aprender com uma senhora mais experiente e distinta. Recentemente, um pouco antes do aniversário de Suzanne, a sra. S telefonou e perguntou se "Suzanna" poderia visitá-la. Durante essa visita, a sra. S disse que se lembrava que em um almoço de Ação de Graças anos atrás Suzanne não tinha um bom jogo de porcelana. Ela queria que Suzanne ficasse com sua louça (um conjunto muito elegante). Depois a sra. S disse que também não queria que Suzanne ficasse empacada com um carro quebrado (como acontecera no ano anterior) e que ela guardara dinheiro para lhe dar um carro novo de presente em seu aniversário. Apesar dos protestos de Suzanne, elas foram ao vendedor, e a sra. S pagou à vista um Subaru Outback com todos os acessórios, itens de segurança, bancos de couro, teto solar etc. Suzanne afirmou enfaticamente que não precisava do banco de couro nem do sistema de navegação, mas a sra. S não a deixou sair sem esses "itens de segurança". Embora Suzanne tivesse tido carros novos antes, eram sempre carros da família, não apenas dela.

Suzanne derramou muitas lágrimas de alegria e júbilo com esse presente inacreditável. Sua colega de trabalho disse que, de todas as pessoas, Suzanne verdadeiramente merecia aquela bênção incrível. Ao observar Suzanne contar moedas para o ministério e para o sustento e ao ouvir as histórias das viagens dos últimos dezessete anos, sua colega disse: "Uau, não deve ser uma sensação maravilhosa abençoar alguém que merece tanto?". Suzanne respondeu que não se sentia "merecedora", mas sua colega disse: "Isso é porque você é cristã, não tem expectativas, mas veja como Deus trabalha! Parabéns!".

Mas aqui está a parte realmente incrível. Embora o presente financeiro seja generoso além dos limites, creio que a sra. S lhe deu um presente ainda maior. Por causa de sua infância,

Suzanne entrou na vida com muitas feridas: feridas pela ausência de um pai, pelo abandono e pela figura materna. Como homem consegui ajudar a sarar algumas delas: a ferida por não ter pai, dando a ela cuidado, proteção e amor; a ferida do abandono, sendo fiel e comprometido por trinta e quatro anos. Mas não posso suprir a ferida deixada pela mãe; somente outra mulher mais velha pode. Creio que o presente da sra. S de amor incondicional (um que somente uma mulher poderia e deveria dar) ajudará a curar aquele vazio da mãe que ela tem no coração. Já estou começando a ver algumas mudanças emocionantes acontecerem. Anseio assistir ao que acontecerá quando ela seguir em frente.

Outras pessoas podem ser mentores de curto prazo ou de longo prazo. Quando os nossos filhos eram pequenos e a minha esposa estava lutando com o que significa ser mãe (primeiramente porque ela nunca tivera esse modelo), Suzanne foi abençoada com uma mulher que entrou em sua vida e serviu de modelo do que significava ser uma esposa e mãe competente e amorosa. Ela foi uma tremenda bênção pelo curto período de tempo que esteve na vida de Suzanne — uma bênção que ainda rende dividendos.

À medida que envelheci, procurei por um mentor que tivesse trilhado o mesmo caminho que eu de ser escritor, preletor e líder de um ministério. É um caminho duro e muitas vezes solitário com que a maioria das pessoas não tem experiência. Falei sobre isso com um pastor amigo que me aconselhou dizendo que nunca encontraria um mentor que pudesse preencher todos esses papéis para mim. Mas disse que poderia encontrar diferentes mentores para cada uma das diferentes áreas da minha vida. Podia encontrar alguém que me desse conselhos espirituais, alguém que ajudasse na paternidade, um com o casamento e outros com a minha carreira. Isso pareceu bem menos intimidador e tem funcionado muito bem.

Onde quero chegar é que ninguém é bem-sucedido na vida sem ajuda.

Confrontando quem abusou de nós

Muitos terapeutas não acreditam em confrontar os pais como meio para a cura. Eles pensam que isso não cura feridas, mas as abre novamente. As pessoas têm a tendência de confrontar quem abusou delas por diversos motivos, principalmente para fazer que admitam seus erros, desculpem-se pelos delitos e de alguma forma resolvam o assunto para seguir em frente. Contudo, é muito improvável que um pai que abusava ou que era conivente admita o abuso. Mais provável é que neguem, culpem a vítima ou fiquem muito enfurecidos, geralmente os três.

Entretanto, pode haver alguns motivos válidos para confrontar os pais, mesmo que você não receba a justiça desejada. Primeiro, às vezes, confrontar funciona. Agora que você é adulto, os perpetradores não têm mais poder físico sobre você. Essa revelação é geralmente uma cura em si mesma. Além disso, o que guardamos dentro de nós, permitimos que consuma nosso interior. E, ao "assumir" o medo, a culpa, a vergonha e a raiva que impuseram sobre nós, corremos o risco de passá-los para os nossos filhos. Sempre que não resolvemos questões desse tipo, temos a tendência de passá-las aos nossos filhos.

Se você decidir que confrontar quem abusou de você é o caminho a seguir, precisa começar com uma carta. Eis algumas coisas que a cartão de confrontação deveria conter:

Isto foi o que você me fez.
Foi assim que me senti na época.
Foi assim que afetou a minha vida.
Isto é o que quero de você agora.[2]

Se o objetivo de confrontar os seus pais é ser ouvido e tirar algumas coisas do peito, uma carta pode servir a esse propósito. Se você quer restaurar um relacionamento, então um encontro frente a frente poderá ser necessário. O problema com isso é que a maioria dos abusadores (e as pessoas que permitiram que o abuso acontecesse) nunca admite suas ações. Elas tentam torcer as coisas para pôr a culpa em você. Se você quer ser ouvido em qualquer dessas situações, provavelmente terá que editar as suas palavras. Um tom acusador fará que a parte culpada se ponha na defensiva e recue. A minha esposa enviou uma carta à mãe dela relatando todas as coisas horríveis que ela fizera ou que permitira que acontecessem durante sua infância. A carta foi bem pensada e bem escrita. Infelizmente, no final da carta ela usou uma palavra que não deveria ter usado. Sua mãe se ofendeu com aquela palavra e ignorou todo o conteúdo relevante. Foi uma experiência muito desagradável para Suzanne. Mantenha os comentários focados em como *você* se sente, não em como *eles* deveriam se sentir.

2 Forward, Susan; Buck, Craig. **Toxic Parents:** Overcoming Their Hurtful Legacy and Reclaiming Your Life. New York: Bantam Books, 1989. p. 229.

Quatro requisitos antes de confrontar os pais

- Você deve estar forte o suficiente para lidar com a rejeição, com a negação e com a raiva da parte deles para com você.
- Você precisa ter um sistema de apoio suficiente pronto para ajudá-lo com as fases de antecipação, confrontação e resultados.
- Você precisa ter escrito e ensaiado o que deseja dizer e praticado respostas não defensivas.
- Você não deve mais se sentir responsável pelas coisas ruins que aconteceram a você quando criança.[3]

Eu o encorajaria a conversar com um conselheiro de confiança e/ou um membro da família amoroso antes de tentar a confrontação. Isso é algo que não deve ser feito de forma precipitada, pois pode trazer mais prejuízos se não for adequadamente conduzida.

Usando a dor para ajudar outras pessoas

Usar a dor, as feridas e as experiências prejudiciais que tivemos no passado para ajudar outras pessoas transforma algo ruim em algo bom. Isso lhes confere valor. É pegar alguma coisa negativa e transformar em positiva. As experiências que você viveu o ajudam a relacionar-se com outras pessoas que passaram por experiências semelhantes de uma forma que outras pessoas não conseguem. A suas experiências de ter sobrevivido ao abuso dão a você o privilégio de identificar-se com outros

3 Forward, Susan; Buck, Craig. **Toxic Parents:** Overcoming Their Hurtful Legacy and Reclaiming Your Life. New York: Bantam Books, 1989. p. 227.

sobreviventes de forma muito mais profunda do que mesmo o mais inteligente psicólogo que nunca experimentou esse tipo de trauma poderia. (Observação: Precisamos nos curar dessas feridas antes de poder dar conselhos aos outros. Do contrário, será um cego guiando outro cego.)

A forma mais rápida de continuar sarando da dor é usá-la para começar a ajudar outras pessoas — trazer algo de bom da sua dor. Você pode fazer isso ajudando a mentorear alguém menos curado que você, liderando em conjunto grupos de apoio, falando a grupos pequenos e grandes, ou apenas sendo amigo de alguém que precisa de ajuda. Você pode escrever sobre as suas experiências e o que aprendeu em diversos meios, em *blogs*, em artigos de revistas e até mesmo em livros. Aquilo que você aprendeu e o que viveu pode ajudar uma pessoa de uma forma que nem imagina. Com frequência recebo *e-mails* e cartas de pessoas de todo o mundo que leram um dos meus livros ou que me ouviram falar. Elas contam como algo que eu tenha dito ou escrito mudou a vida delas. Sempre fico surpreso com isso, porque não me considero uma pessoa brilhante. Claramente Deus usa o meu esforço bem além do que sou capaz.

O poder redentor de Deus é que ele pode usar a minha dor para ajudar a curar outras pessoas. Isso dá valor e significado à dor. E, quando me deixo ser usado dessa maneira, sou miraculosamente curado também.

5

CURANDO AS NOSSAS EMOÇÕES

Relacionamentos venenosos podem
alterar a nossa percepção.
Você pode passar muitos anos
pensando que não tem valor.
Mas não é que você não tenha valor;
é que você não é valorizado.
— Steve Maraboli

As emoções são um estado instintivo da mente originadas das nossas circunstâncias, do nosso humor ou dos nossos relacionamentos com outros. São sentimentos que são inerentemente diferentes da razão ou do conhecimento. Elas surgem em nós espontaneamente em vez de conscientemente. As emoções parecem dominar a vida diária. Tomamos decisões baseadas em se estamos felizes, irados, tristes, entediados ou frustrados. Escolhemos atividades e *hobbies* baseados nas emoções que despertam. As seis emoções básicas universais a todas as culturas humanas são medo, aversão, raiva, surpresa, alegria e tristeza.

Pessoas diferentes sentem emoções diferentes com um mesmo acontecimento. Casar-se ou ter um filho pode despertar emoções que variam da alegria à ansiedade. Uma cena de filme que mostro nos eventos de que participo é muito emocionante. A maioria das mulheres que assistem a ela derramam lágrimas de alegria ou tristeza, dependendo do passado de cada uma. Quando a mostro para homens na prisão, a maioria deles ri (embora isso possa ser uma resposta de defesa porque mostrar vulnerabilidade na prisão pode ser perigoso).

As emoções também são subjetivas. Em outras palavras, a raiva pode englobar muitos níveis, desde a leve irritação à fúria cega. O amor pode variar da amizade fraternal à adoração cega. Podemos sentir uma variedade de emoções ao mesmo tempo. Podemos estar empolgados e nervosos com uma entrevista de emprego, ou tristes e alegres pelo fato de um filho ir para a universidade. Podemos até mesmo experimentar emoções conflitantes ao mesmo tempo. É possível amar e odiar uma pessoa simultaneamente ou estar tanto orgulhoso como decepcionado com alguém.

As nossas emoções são uma parte fundamental de quem somos e de como respondemos a diferentes situações. Para aqueles que sofreram abuso na infância, essas respostas emocionais geralmente estão prejudicadas ou no mínimo distorcidas. Precisamos tratar algumas emoções que temos como resultado do nosso passado para que elas não dirijam o nosso comportamento, especialmente no que diz respeito à paternidade.

Seguem alguns exemplos que podem ser úteis.

Atitude

A nossa atitude tem um papel muito importante em superar os desafios do passado. Não podemos controlar muitas coisas que nos acontecem, mas a atitude é algo que podemos controlar. Certa mulher o descreveu da seguinte forma:

> Quero ser graciosa e perdoadora, mas é difícil. Agora nós sabemos que sofremos porque tínhamos pais ruins; por isso, acho que *olhar para trás parece pior do que quando estávamos passando por aquilo.* Nós merecíamos algo melhor. Hoje o meu coração dói porque não sei se era amada ou tolerada, e até mesmo isso durou apenas até os meus 15 anos. A total falta de amor, apoio e aceitação afetou-me profundamente causando baixa autoestima, falta de confiança, inabilidade social, incapacidade para perdoar e medo constante (nem sei do quê). O que realmente aprendi naqueles quinze anos é que precisava cuidar de mim mesma. Fiz muitas escolhas ruins, mas pelo menos tive o bom senso de aprender com elas. Tento olhar para quem sou em vez de para quem eles foram. Duas pessoas horríveis, egoístas, infelizes produziram duas pessoas boas, dignas, trabalhadoras cujas famílias são maravilhosas e que as amam e apoiam. Difícil ficar infeliz com isso. Além disso, ainda poderia ter sido bem pior. Oh, meu Deus, as pessoas fazem coisas muito, muito ruins aos filhos. Por pior que fosse, sou grata porque os nossos pais não eram essas pessoas.

As pessoas têm temperamentos tremendamente resilientes que lhes permitem superar desvantagens iniciais. O escritor e colunista David Brooks comenta: “Mesmo entre pessoas que foram sexualmente abusadas na infância, apenas aproximadamente um terço apresenta sérias consequências na fase adulta".[1] Talvez seja porque essas pessoas decidam assumir o controle de suas atitudes.

Parte de ter uma boa atitude é desenvolver a gratidão pelo que temos. Você tem um cônjuge fiel e filhos que o amam? Então você é muito abençoado. Seja agradecido. Você tem uma casa onde morar e comida para comer todos os dias? Você é fisicamente saudável? Se é, está melhor do que a maioria das pessoas no mundo. Seja agradecido — regozije-se com as bênçãos que recebeu. Se está lendo este livro, deve ter instrução. Que grande bênção! Isso significa que pode transformar a si mesmo. Seja agradecido pelo que tem em vez de infeliz pelo que falta.

Compreendo que não é fácil forçar a nós mesmos a sermos felizes. Não sugiro tal coisa com indiferença. Mas a nossa atitude é uma das poucas coisas que podemos controlar. É aquilo que ninguém pode nos tirar. É uma disciplina mental que se fortalece, como um músculo quando exercitado. Você pode começar a melhorar a sua atitude, tornando-se agradecido e dizendo regularmente às pessoas que são importantes para você quanto elas significam. Diga "obrigado" muitas vezes (mesmo que no momento não sinta vontade). Escreva várias coisas todos os dias pelas quais está agradecido, mesmo que o faça com esforço. Depois pense sobre algumas coisas que gosta a respeito de si mesmo. Olhe-se no espelho (mesmo que seja difícil) e diga para você mesmo algumas coisas que gosta a seu respeito. Ore para que Deus revele todas as coisas gloriosas sobre você. Faça isso diariamente até começar a acreditar na verdade de Deus sobre você.

1 BROOKS, David. **The Social Animal:** Hidden Sources of Love, Character, and Achievement. New York: Random House, 2011. p. 66.

A nossa atitude determina nosso nível de satisfação, alegria, contentamento e até mesmo saúde física e mental. Podemos escolher ser teimosos e amargurados, ou podemos escolher ser, senão felizes, pelo menos agradecidos pelos dons que temos. A atitude de gratidão ajuda muito a mudar a nossa perspectiva da vida e determinar em que tipo de pais queremos nos tornar. Você, pai ou mãe, preferiria ser alguém deprimido, irado, assustado ou, pelo contrário, feliz, gracioso e amoroso? Eu também.

Luto e dor

Outra emoção que precisa ser tratada se queremos ser curados é a dor. Uma vez que muitas pessoas que sofreram abuso têm emoções congeladas, elas nunca lamentam nem passam pelo luto da perda. O luto é uma resposta normal à perda; nesse caso, a perda de uma infância normal, da inocência ou mesmo do amor de um dos pais. Precisamos aprender a lamentar a perda dos bons sentimentos em relação a nós, a perda da confiança, da alegria, dos sentimentos de segurança e a perda de pais cuidadosos e respeitosos. A dor e a raiva estão interligadas. É impossível que uma exista sem a outra.[2]

Também precisamos lamentar a perda dos pais que esperávamos e ansiávamos ter. Se o pai abusava e a mãe permitia que ele agisse assim (ou ao contrário), ambos abusavam. Uma das principais tarefas dos pais é proteger os filhos. Falhar em proteger ou fingir não saber do abuso que estava acontecendo é tão ruim quanto realizar o abuso de fato. Precisamos lamentar o fato de que provavelmente nunca receberemos o amor

2 Forward, Susan; Buck, Craig. **Toxic Parents:** Overcoming Their Hurtful Legacy and Reclaiming Your Life. New York: Bantam Books, 1989. p. 217.

e o cuidado de que precisávamos (e pelos quais deveríamos esperar) e que os nossos pais possivelmente nunca reconhecerão suas ações nem se desculparão por elas. Pais que cometem abusos são incapazes disso porque ou eles estão mentalmente doentes, feridos, irados, centrados em si mesmos, ou são simplesmente maus. E, caso já tenham falecido, você nunca receberá a justiça ou o pedido de desculpas que merece.

Isso pode soar deprimente, mas não quer dizer que você não possa conseguir as coisas que deseja em outras fontes. É possível que você tenha um cônjuge amoroso e que o apoia e filhos que o amam incondicionalmente. Além disso, você pode ter outros membros da família (sogros, avós, irmãos etc.), amigos ou mentores que também o amam e nutrem sua alma. Usufrua desses relacionamentos e seja agradecido pelo que tem. Algumas pessoas não são afortunadas o suficiente para ter alguém que se importe com elas.

Um dos desafios de lidar com feridas causadas por abuso é que precisamos processar o luto. Um infeliz efeito colateral do abuso, contudo, é que muitas pessoas que foram abusadas não conseguem sentir nada — as emoções estão congeladas. Tivemos que aprender a colocar as emoções em uma caixa para poder sobreviver. A maioria das crianças que sofreram abuso é punida por expressar os sentimentos. Portanto, provavelmente não era seguro ter sentimentos na infância, ou estes eram tão dolorosos que os empurramos para longe para poder suportar.

O processo de trabalhar o luto e começar a sentir aquelas emoções novamente é doloroso. Leva tempo, e o processo não pode ser apressado. Há vários estágios do luto que precisamos trabalhar a fim de sairmos do outro lado. Geralmente associamos o luto apenas com a morte de uma pessoa amada. Mas, no caso de uma infância de abuso, o luto é causado pela perda (morte figurativa) de nunca ter tido um relacionamento pai-filho de amor e cuidado, pela morte da inocência da infância e de uma infância feliz.

Estágios comuns do luto

Estágio inicial

Choque — experiência de entorpecimento, negação
Liberação emocional — começa-se a sentir dor e sofrimento
Preocupação com a pessoa falecida ou perda — pensamento contínuo sobre a perda ou acontecimentos
Raiva — sentimento de abandono ou impotência
Depressão/tristeza

Sintomas de angústia física ou emocional

Insônia
Aperto na garganta
Asfixia ou falta de fôlego
Sensação de vazio no estômago
Fraqueza
Pouco apetite
Sensação de estar fora da realidade
Distância emocional — ninguém se importa nem entende
Sentimentos de pânico ou desejo de sair correndo

Estágio posterior

Diálogo/negociação
Perdão
Aceitação
Retorno à vida

Nota: Estes são estágios frequentes, não obrigatórios; não são previsíveis, lineares nem universais.

Dois meses antes de Suzanne e eu nos casarmos, a minha babá morreu em um acidente de carro. Foi um choque para todos nós, mas os meus pais, por serem incapazes de lidar com a vida em suas melhores fases, desabaram completamente. Como filho mais velho, eu fui o encarregado de cuidar dos preparativos para o funeral. Provavelmente em razão da forma pela qual fora treinado enquanto cresci (ou pelas limitadas habilidades que tinha na época), acabei reprimindo as emoções para fazer o que precisava ser feito. Infelizmente, quando a poeira baixou, aquelas emoções permaneceram guardadas profundamente. Nunca processei adequadamente o meu luto e em vez disso segui em frente com a vida. Mas aquelas emoções não processadas por fim precisaram vir para fora. Elas permaneceram meio esmagadas como um saco de dormir apertado em sua embalagem até que as costuras enfraquecessem e o saco explodisse. Quando os meus sentimentos finalmente vieram para fora, eram ainda mais dolorosos de ser tratados. Levou mais tempo e foi mais difícil do que se tivesse lidado com eles mais cedo.

Por mais assustador que possa parecer pensar em lidar com o luto, por favor compreenda que, quanto mais cedo fizer isso, mais rapidamente você ficará bem. Você será beneficiado se tiver um bom conselheiro para o ajudar nessa transição.

Lidando com a raiva

A maioria das pessoas que sofreu abuso fica irada — com direito. Não há problema em sentir raiva — você tem direito a tê-la em certo grau, em razão do que sofreu e pela inocência perdida da infância. Contudo, você não tem o direito de permitir que a raiva passe adiante as feridas a outras pessoas importantes na sua vida, como cônjuge e filhos. Por isso precisamos aprender a lidar com a raiva de forma saudável a fim de impedi-la de contaminar as pessoas ao redor.

Para algumas pessoas que tiveram uma infância de abuso, a raiva geralmente é assustadora — quando exibida tanto pelos outros como por elas mesmas. Provavelmente você foi punido por ficar irado quando criança. Além disso, as pessoas que abusavam de você provavelmente estavam muito iradas, e isso era assustador para uma criança. A raiva também tem o potencial de destruir pessoas. Para pessoas feridas, ficar irado significa perder o controle, e controle é algo a que elas se agarram como a um salva-vidas em águas turbulentas. A raiva pode ser uma emoção muito complicada para as vítimas de abuso em diferentes níveis.

Pessoas feridas com frequência lidam com a raiva de uma das seguintes maneiras: elas a enterram e ficam doentes ou deprimidas, ou elas a amortecem com coisas como álcool, drogas, sexo ou comida. Às vezes permitimos que a raiva internalizada nos transforme em pessoas amarguradas, frustradas e agressivas. Outras pessoas simplesmente correm de um lado para o outro com sua raiva como um lança-chamas atingindo todos ao redor.

Leva tempo tratar questões relacionadas à raiva. As mulheres principalmente foram treinadas a não revelar a raiva. Isso com frequência as leva a guardar dentro de si a raiva, o que as faz agir de maneiras autodestrutivas. Transtornos alimentares, automutilação, automedicação com remédios ou álcool, compras, promiscuidade, fumar ou acúmulo de coisas ou animais podem ser todos sintomas de raiva internalizada em mulheres. Ou então elas escolhem parceiros que as tratam com base na raiva, liberando a raiva reprimida de forma vicária. Infelizmente esses tipos de homens (e mulheres) geralmente são controladores e abusivos.

Formas de lidar com a raiva

- Permita-se sentir raiva; ou seja, dê nome a ela.
- Coloque a raiva para fora. Em vez de reprimi-la, expresse-a de forma construtiva e de maneiras saudáveis. Fale com as pessoas a respeito, soque travesseiros etc. A raiva que é expressada dá energia; a raiva reprimida drena energia.
- Aumente sua atividade física. Isso alivia a tensão, bem como produz endorfinas que aumentam a sensação de bem-estar.
- Use a raiva como motivação para a mudança de vida. Usei minha raiva de forma produtiva para realizar mudanças e assegurar que nunca seria como os meus pais. Não permita que a raiva reforce uma autoimagem negativa. Você não é uma pessoa ruim porque sente raiva. A raiva é uma resposta lógica e razoável para o que aconteceu a você.[3]

Enquanto as mulheres geralmente internalizam a raiva, muitos homens põem a raiva para fora causando grandes prejuízos a si e aos outros. Eis algumas dinâmicas da raiva nos homens.

3 FORWARD, Susan; BUCK, Craig. **Toxic Parents:** Overcoming Their Hurtful Legacy and Reclaiming Your Life. New York: Bantam Books, 1989. p. 215-216.

A raiva produz uma excitação psicológica nos homens. Gera um estado de prontidão e aumenta a consciência. Gera energia que pode ser direcionada para fora na forma de proteção ou mesmo como uma arma. A raiva leva a lutar ou fugir, resposta destinada a nos proteger. A raiva geralmente é uma ferramenta poderosa que homens e meninos usam para encobrir as imperfeições. Você notará que homens jovens e até mesmo os mais velhos reagem com raiva quando se sentem excessivamente frustrados ou emocionalmente feridos.

A elevação da adrenalina e a excitação associada podem ser viciantes para alguns homens. Homens jovens precisam ser ensinados a lidar com a raiva e a controlá-la. Para isso, precisam aprender a assumir a raiva e a identificar sua fonte. Então podem aprender a definir como responderão a essa raiva. Provavelmente precisaremos de ajuda para identificar a fonte da raiva, talvez de um conselheiro ou de uma pessoa amorosa da família. A minha mulher foi decisiva em me ajudar a identificar o que eu estava sentindo em um momento específico e por que estava sentindo isso. Ela estava muito mais em contato com as emoções e lidava melhor com elas. Isso permitiu que ela conversasse comigo (quando não estava mais irado) sobre o que eu estava realmente sentindo.

Os homens não são muito adeptos de compreender suas emoções e não se sentem muito à vontade para lidar com elas. As emoções são poderosas e muitas vezes incontroláveis. É por isso que tantos homens mantêm as emoções bem guardadas; uma vez liberadas, tornam-se imprevisíveis e incontroláveis e geralmente resultam em uma situação que acaba em vulnerabilidade. Contudo, a emoção com que se sentem à vontade é a raiva. A raiva para muitos homens é uma velha amiga a quem recorrem em diversas situações. Assim como todas as emoções poderosas, ela pode ser usada de forma destrutiva ou para algo bom. Por exemplo, a raiva pode ser terrivelmente destrutiva nos relacionamentos. Tudo que precisamos fazer é olhar para a devastação causada a mulheres e crianças pela ira e pela raiva descontroladas de um homem. A raiva pode levar a abuso emocional, psicológico e até mesmo físico.

Por outro lado, a raiva *pode* ser canalizada para fins produtivos. A raiva pode ser usada para motivar um homem a alcançar mais do que seria capaz de realizar de outra forma. Pode ser usada como mecanismo para encorajar a perseverança sob ameaça ou em circunstâncias exaustivas. Muitos meninos realizaram alguma tarefa difícil porque ficaram irados quando alguém lhes disse que não conseguiriam obter êxito. Quando provocados, muitos meninos usam essa raiva para motivar-se a "provar" que o ofensor está errado. Um método que os treinadores usam é fazer que os jovens fiquem irados a fim de motivá-los a desempenhar uma atividade além das limitações que eles próprios se impõem. Na verdade, muitos homens, inclusive eu, impulsionam-se com a raiva e determinação a serem bem-sucedidos na vida porque a figura paterna lhes dizia constantemente que não seriam ninguém. Os guerreiros geralmente usam a raiva direcionada aos inimigos como motivação para o sucesso na batalha ou mesmo em uma luta no pátio da escola.

Indiferentemente de como seja usada a raiva, esta é a emoção mais comum nos homens. A raiva geralmente é uma emoção secundária usada pelos homens para encobrir, mascarar outras emoções. Por exemplo, certas emoções como medo, ansiedade, vulnerabilidade ou angústia muitas vezes produzem sentimentos de humilhação nos homens. Os homens consideram a humilhação uma fraqueza. Lembre-se: para a maior parte dos homens mostrar fraqueza é estar vulnerável e sujeito a críticas. Estar vulnerável é um convite a ser atacado. Mas a raiva é uma defesa contra o ataque e pode até mesmo ser uma arma para atacar outros. Homens e meninos muito irados dificilmente são incomodados, mesmo por valentões. Lembro-me de usar a raiva como mecanismo de defesa simplesmente para manter as pessoas longe de mim. Depois da infância eu só queria ficar sozinho.

Em vez de serem humilhados por essas emoções "covardes", muitos homens instintiva e automaticamente usam a raiva para encobrir os sentimentos. Até mesmo a dor (física ou emocional) pode ser encoberta pela raiva. Observe como a maioria dos homens reage quando acertam o dedão com um martelo. Eles preferem ficar furiosos a chorar. A maioria dos homens também fica irada em vez de deprimida ou histérica quando enfrenta uma crise emocional em um relacionamento. Mais uma vez, esse é um mecanismo de proteção para o ego frágil — ego que esconde sentimentos arraigados de inadequação e incompetência.

Às vezes a raiva é usada até de forma consciente. Fui criado em uma casa em que o abuso e o alcoolismo estavam presentes. Recordo-me claramente que, ao redor dos 12 anos, descobri que, se ficasse irado, não precisava sentir aquela emoção humilhante de estar com medo. De forma infantil, tipicamente ingênua, disse para mim mesmo: "Isso é ótimo. Nunca mais ficarei assustado!". Contudo, era uma esperança tola, pois passei irado uma porção significativa da vida adulta. Não tive um modelo masculino positivo para mostrar-me como um homem vive e enfrenta os problemas de maneira mais saudável, por isso a minha resposta padrão era quase sempre a raiva. E essa é uma forma assustadora de viver.

Perdoando quem abusou de nós

Hesito até mesmo em mencionar esse assunto porque é muito doloroso para muitas pessoas. Francamente, ele até mesmo me deixa um gosto amargo na boca só em falar sobre isso. Mas é importante demais para não ser discutido. Precisamos levar em consideração perdoar quem abusou de nós — aí está, já disse. Quando ouvimos a palavra "perdão", a maioria das pessoas abusadas pensa: "Por que eu deveria perdoar? Não fiz nada para merecer isso. Foram eles que me machucaram. Eles não merecem perdão!". Esses pensamentos são compreensíveis e podem até ser justificados. Mas há alguns motivos a levar em consideração sobre por que o perdão pode ser a coisa mais importante que você pode fazer por *você mesmo*.

O perdão dos que abusaram de nós é exigido para sararmos e seguirmos em frente? A sabedoria predominante da indústria da saúde mental e muitos no âmbito espiritual diriam que sim. Contudo, um número cada vez maior de psicólogos e psiquiatras diria exatamente o oposto. Parte do problema está em que a maioria das pessoas que praticou abuso não muda. Perdoar alguém que ainda está em um comportamento destrutivo e que se recusa a admitir a culpa por suas ações e a tentar repará-las parece um tanto contrário ao que se espera. Muitas vezes as pessoas que foram abusadas estão tão ansiosas e desejosas de ter pelo menos alguma ligação com um dos pais (mesmo que tenha abusado dela) que continuam tentando obter uma resposta diferente desse pai ou dessa mãe. Infelizmente, carne de segunda nunca se transforma em filé-mignon não importa quanto desejemos que aconteça.

O perdão consiste em dois aspectos: deixar o ressentimento e abandonar a necessidade de vingança. A parte da vingança geralmente não é o problema; desistir da necessidade de vingança é saudável e pode até mesmo ser fácil. A primeira parte é mais difícil. Abandonar o ressentimento pode ser muito difícil, principalmente se a parte que causou a ofensa não se arrependeu. Mas as desculpas e a mudança de comportamento não são o ponto central do perdão. Você perdoa as outras pessoas por causa da paz e da cura que isso trará a *você*.

Um dos desafios do perdão é que precisamos ser cuidadosos para que ele não se transforme em uma forma de negação: "Se eu o perdoar, podemos fingir que o que aconteceu não foi tão terrível assim". Às vezes as pessoas correm para o perdão para evitar o trabalho doloroso da terapia. Isso quer dizer que, em situações em que a parte culpada nunca foi responsabilizada por seus crimes, absolvê-la da responsabilidade de suas ações pode ser mais prejudicial do que benéfico. Como você pode "perdoar" um pai que voltou para casa bêbado e o espancou, ou um pai que o estuprou quando criança? O perdão também pode obstruir a sua capacidade de liberar as emoções. Como você pode ficar irado com um dos pais se você já perdoou? Essa ira é então direcionada para dentro, em direção a nós mesmos, e se torna ainda mais destrutiva. Aceitar a culpa é uma ferramenta de sobrevivência para crianças que foram abusadas. Parte de superar tudo isso é reconhecer e aceitar quem foi responsável por seu sofrimento na infância. (Observação: Você NÃO é responsável por qualquer abuso que tenha sofrido quando criança.)

Se você não reconhecer, continuará culpando a si mesmo e sofrendo vergonha e culpa.

Então, o perdão é necessário para curar e mudar a sua vida? Provavelmente. Certamente, há pessoas que discordarão de mim nessa questão, mas creio que o perdão é fundamental para sarar e seguir em frente. Creio que Deus deseja que perdoemos pais abusadores, mas também creio que é importante que o perdão venha no final de um trabalho árduo, não no início nem em lugar desse trabalho duro. Entenda, porém, que o perdão não significa que negamos a responsabilidade da outra pessoa nem que justificamos suas ações.

Às vezes na igreja somos pressionados a correr para perdoar. Isso é abuso espiritual. Pessoas feridas precisam de um lugar seguro para contar sua história. Elas precisam de pessoas ao lado, que simpatizem com elas e que se sintam indignadas por elas. O que elas não precisam é de chavões como "Deus deve ter um motivo".[4]

A ciência provou que o perdão pode ser mais saudável do que imaginamos. Está confirmado que perdoar diminui a pressão sanguínea, diminui o estresse e a fadiga, melhora o sono e diminui os sintomas da depressão. Quando as pessoas são capazes de perdoar, elas são capacitadas.[5]

Os médicos estão reconhecendo que pacientes que se recusam a perdoar geralmente permanecem doentes. O pastor e escritor dr. Michael Barry diz: "Abrigar essas emoções negativas, essa raiva e esse ódio, gera um estado de ansiedade crônico". Ele continua: "A ansiedade crônica, de forma muito

4 ZIMMERMAN, Lucille. **Renewed.** Nashville: Abingdon Press, 2013. p. 123.
5 Ibidem, p. 124.

previsível, produz excesso de adrenalina e cortisol, o que esgota a produção das células assassinas naturais, que são os soldados do seu corpo na luta contra o câncer".[6] Não perdoar os outros faz que as pessoas adoeçam e permaneçam doentes. De todos os pacientes com câncer, 61% deles têm problemas com o perdão. A terapia do perdão está sendo encarada como uma forma de ajudar a tratar o câncer.[7]

Pessoalmente, descobri que precisava de pelo menos certo nível de perdão para chegar à cura e seguir em frente para viver uma vida decente. Isso não significa que absolvi meus pais de sua culpa, mas alcancei certa compreensão de por que agiram como agiram, e isso me permitiu ter compaixão para aceitar suas falhas como seres humanos feridos. Por exemplo, o meu padrasto era um homem fraco e pervertido de muitas maneiras. Mesmo com todas as suas faltas, ele era um homem e uma figura de pai melhor do que seu pai fora. Ele também era menos abusivo do que seu pai havia sido. Acabei percebendo que o abuso que cometia provavelmente não se baseava tanto em malícia, e sim em ignorância. Sinceramente duvido de que ele tivesse ideia de como seu próprio legado contribuiu com seu comportamento na vida adulta e provavelmente ele se tornou alcoólatra a fim de conseguir conviver consigo mesmo. Provavelmente ele também se tornou alcoólatra para poder conviver com a minha mãe.

A minha mãe era uma alma ferida por abuso infantil e incesto. Por algum motivo ela escolheu automedicar-se com

6 Johnson, Lorie. The Deadly Consequences of Unforgiveness, **CBN News Health & Science**, June 22, 2015. Disponível em: <http://www.cbn.com/cbnnews/healthscience/2015/June/The-Deadly-Consequences-of-Unforgiveness/>.

7 Ibidem.

álcool durante toda a sua vida adulta em vez de ter coragem para encarar suas feridas e tentar curá-las por meio de aconselhamento e medicação. Isso não a isenta do que ela fez a mim e a meus irmãos, mas torna-o mais compreensível. Compreender por que as pessoas fazem o que fazem não torna as coisas mais aceitáveis. Contudo, isso me permitiu, no fim da vida da minha mãe ter compaixão para ajudar a facilitar uma morte com graça e dignidade.

O perdão que estendi aos pais que me criaram não foi para benefício deles; foi para o meu próprio benefício. Carregar toda aquela amargura e dor é destrutivo em muitos níveis. E, francamente, seus pais (ou outras pessoas que tenham abusado de você) provavelmente não se importam se você as perdoa ou não. O perdão permitiu-me ir além de emoções como vergonha, culpa, raiva e mágoa. A raiva e o ressentimento são venenos que prejudicam somente a nós mesmos e a ninguém mais. Se você aceitou o perdão de Cristo na sua vida, você também tem a obrigação de perdoar os outros. *O perdão não é fraqueza; é poder.* Ele nos dá poder sobre uma situação em vez de permanecermos como vítima. Você terá avançado na estrada da recuperação quando puder perdoar as pessoas que o prejudicaram.

Perdoando a nós mesmos

Antes de entregar a minha vida a Cristo, um dos maiores desafios que enfrentava era não ser capaz de me perdoar por algumas das coisas que fizera. Era um fardo muito pesado. Ele me prendia em muitas áreas da vida, inclusive na paternidade. Uma das maiores alegrias como fruto de aceitar Cristo como meu Salvador foi o alívio que experimentei quando senti o perdão de Deus pela primeira vez. Senti como se um buraco gigantesco fosse consertado no meu coração e um peso de granito tivesse sido retirado das minhas costas.

A maioria das pessoas com antecedentes turbulentos luta para perdoar a si mesma (talvez até pessoas que *não* tenham esses antecedentes também lutem com essa questão). Algumas das coisas com que se sentem mal são legítimas, algumas estão mal orientadas e algumas são mentiras descaradas contadas por pessoas que deveriam ter nos amado. Essas mentiras são então perpetuadas por forças que desejam nos ver afundados no sofrimento.

O Maligno é um mentiroso. Ele sabe que no profundo do nosso coração estamos tão frágeis e machucados pela vida que o menor sussurro irá nos fazer sentir culpados, mesmo quando não somos. Ele sabe que a pessoa mais difícil a quem perdoar é a nós mesmos.[8]

Lembre-se: o seu passado não é o seu futuro. Uma história ruim não é o seu destino. Mas é difícil amar outras pessoas quando não amamos a nós mesmos. Um dos desafios em perdoar a nós mesmos é que costumamos elevar demais o padrão e exigimos perfeição de nós mesmos. Quando não a alcançamos, acreditamos que somos maus ou irremediavelmente falhos.

Mencionamos anteriormente o peso físico que a falta de perdão coloca sobre o corpo humano. A falta de perdão consigo mesmo é igualmente onerosa. Raramente estendemos a nós a mesma graça que estendemos aos outros. Perdoar-nos significa que compreendemos que não somos perfeitos. Todos nós cometemos erros, mas não somos a soma dos nossos erros, eles não nos definem. Eu era muito mais duro comigo mesmo

8 Moore, Beth. **Get Out of That Pit.** Nashville: Thomas Nelson, 2007. p. 37.

do que com outras pessoas (embora haja pessoas que dirão que eram igualmente duras com todos). Mas o que a maioria das pessoas não percebia era que eu me punia muito mais do que puniria qualquer outra pessoa.

Perdoar os outros e a nós mesmos exige tempo e muito esforço. Eu poderia nunca tê-lo alcançado sem a intervenção de Deus e o seu perdão na minha vida. A verdade é que você realmente merece o perdão. Sem perdão, o ferido se transforma em agressor. Quando temos dificuldade em nos perdoar, temos dificuldade em perdoar os outros (como o cônjuge ou os filhos). E definitivamente eles merecem o nosso perdão.

Fé e esperança

Finalmente, o agente de cura mais poderoso é a fé. Desenvolver a fé é conhecer a esperança. Sem fé, não há esperança. Sem esperança, não há motivo para seguir em frente. Ter fé para crer na graça e no perdão de Deus permite que ele cure as nossas feridas e nos encha de esperança no futuro — mesmo que o passado tenha sido feio, o futuro é brilhante. Ouça-me: Deus não permitiu nem causou a nossa situação. Ele não machuca seus filhos. Ele deu o livre-arbítrio aos seres humanos. A fé não significa nada se é coagida. Portanto, as pessoas podem escolher seguir a Deus ou não (e aceitar as consequências). Isso significa que algumas pessoas têm a liberdade de escolher prejudicar os outros. Mas, mesmo em nossos momentos de maior escuridão, não significa que Deus estava ausente. É possível que ele tenha nos protegido de males ainda maiores. E, com uma visão mais ampla (que não podemos ver), talvez as nossas feridas sejam uma parte vital de acontecimentos que não podemos compreender — tal como ser capaz de ajudar alguém. Há muito a respeito de Deus que não podemos compreender, e não há problema nisso. Fé é crer mesmo quando não podemos ver, ouvir nem compreender o plano maior de todas as coisas.

Uma grande injustiça foi cometida contra você. Sem fé, a esperança não tem poder — não passa de um desejo. Mas, se é verdade que um dos atributos de Deus é justiça e que todos nós teremos que prestar contas da vida que vivemos, então você pode ter fé e esperança de que todas as suas feridas (e os pecados dos quais você é acusado) algum dia serão redimidos.

Quero encorajar você a permitir que Deus entre no seu coração. Peça-lhe que perdoe seus pecados e tenha um relacionamento com você. O amor e o perdão que experimentará preencherão os vazios no seu coração que nada mais pode preencher. É a cura sobrenatural — é inexplicável. Deus o ama e quer usar você para ajudar a curar outras pessoas. Dê-lhe uma chance e veja o que acontece.

6

NOVAS ESTRATÉGIAS DE PATERNIDADE

> Penso que o amor duradouro e comprometido
> entre o casal, bem como a criação de filhos,
> é o ato mais nobre a que alguém pode aspirar.
> Não se escreve muito sobre isso.
> — Nicholas Sparks

Todos nós somos os melhores pais que sabemos ser. E nenhum de nós é especialista. Os pais, na maioria, não são ruins, faltam-lhe apenas habilidades para a paternidade. Infelizmente, nós que crescemos em lares onde havia abuso sabemos ainda menos sobre paternidade saudável do que aqueles que tiveram modelos positivos na infância. Parte dessa discrepância se deve ao modo pelo qual o cérebro se desenvolveu por causa dos modelos que observou.

O cérebro consiste em bilhões de células individuais ou neurônios que desenvolvem 1 trilhão de conexões uns com os outros. O cérebro de um bebê no nascimento alcançou apenas 25% do desenvolvimento, permitindo que se adapte a diversos ambientes. Portanto, o cérebro de uma criança criada por pais amorosos irá se desenvolver de forma diferente do que o de uma criança criada em um lar com uma mãe viciada em drogas e muita violência doméstica. Mesmo que não lembremos de modo consciente dessas experiências da infância, o cérebro ainda lembra. A principal tarefa do cérebro é a sobrevivência. Se a sobrevivência é ameaçada, o resto do cérebro se fecha, excetuando-se as funções que ajudam na autopreservação. Para uma criança em um lar violento, as regiões de funções mais complexas do cérebro ficarão menores (por falta de uso), afetando a capacidade de aprendizado da criança e sua compreensão do mundo, a não ser a área da sobrevivência por estar sempre atenta a algum possível perigo. A boa notícia é que podemos mudar e desenvolver essas áreas do cérebro através de muito reforço positivo e afeto.[1]

Parte do processo de mudança das estratégias de paternidade é agir de forma planejada em relação à paternidade *antes* de nos encontrarmos em situações que nos levem a agir baseados em nossa antiga programação. Lembro-me de um incidente triste quando o meu filho era bebê. Eu estava cuidando dele certo dia enquanto Suzanne fazia compras. Havia sido um dia especialmente estressante, e eu estava esgotado. Frank começou a chorar e continuou chorando vigorosamente no berço, não importava o que eu fizesse. Eu só precisava de alguns minutos de paz e silêncio. Finalmente, fora de mim, fui

1 ZIEGLER, Dave. Understanding and Helping Children Who Have Been Traumatized, Foundations Training for Caregivers: Session 5 — Behavior Modification, Oregon Dept. of Human Services, 1-3.

até ele e o arranquei do berço. Sacudi-o furiosamente e gritei em seu rosto: "Você não pode ficar quieto por um minuto? Apenas feche a boca!". O olhar chocado de confusão e terror em seu rostinho marcado pelas lágrimas envergonhou-me. Ele não sabia por que eu estava aborrecido; apenas que a pessoa de quem dependia completamente o estava ameaçando. Até hoje fico assombrado ao me lembrar disso. É um lembrete constante de como é fácil abusar do poder que Deus nos concedeu como pais. Percebo agora que já sou um pai mais velho que, se tivesse encarado a paternidade com uma perspectiva de planejamento em vez de ter uma só reação governada pelas emoções, poderia ter evitado situações potencialmente destrutivas como essa. Jurei depois daquele incidente que daria todos os passos necessários para aprender a ser um tipo diferente de pai.

Mudar de vida, tornar-se diferente dos exemplos que recebemos, exige muito esforço e concentração. Você tem muitas coisas a recuperar. Não é algo que se possa fazer sozinho. Todavia, com ajuda e cura, como discutimos anteriormente, você pode se tornar um pai ou uma mãe excelente, apesar de como tenha sido criado. Lembre-se: o seu passado não dita o seu futuro. Seguem algumas coisas a levar em consideração ao seguir em frente.

Reprogramando o cérebro

Um dos desafios em nos tornarmos bons pais quando não tivemos um bom pai na infância é que o nosso cérebro foi programado para pensar e agir de uma maneira específica em diversas situações. Você responde instantaneamente a determinadas situações com base nos padrões que foram programados na infância. Geralmente são respostas com as quais você não escolheria reagir — muitos de nós apresentamos o que podemos chamar de controle de impulso deficiente. Por exemplo, tendo sido criado em um lar com alcoolismo, um som alto e inesperado era garantia de provocar uma resposta muito irada, se não violenta, de um dos pais que estivesse de ressaca. Portanto, fui programado a reagir a sons inesperados com uma resposta hiperdesenvolvida de lutar ou fugir. Ao tornar-me adulto, ficar com medo passou a ser inaceitável, por isso até hoje reajo a sons altos com uma resposta marcada pela ira (luta). Mesmo tendo conhecimento sobre isso e tendo explicado a situação aos meus filhos, não era uma maneira saudável de responder a uma ocorrência comum da vida. Tenho pouco controle do impulso quando sobressaltado. Trabalhei duro ao longo dos anos para reprimir o meu impulso de reagir dessa forma. Coincidentemente, os meus filhos descobriram com os anos que era uma brincadeira divertida esconder-se do papai e assustá-lo com um barulho alto.

Por que reagimos dessa maneira? Todos nós em algum momento juramos a nós mesmos que nunca faríamos coisas que os nossos pais faziam nem diríamos o que eles diziam e depois percebemos que estamos fazendo ou dizendo essas mesmas coisas em momentos de estresse. Eis uma pequena explicação do que acontece no cérebro e como podemos mudá-lo.

O seu cérebro é constituído por bilhões de neurônios. Cada neurônio tem dendritos que se conectam potencialmente com milhares de outros neurônios, liberando impulsos elétricos entre eles (comunicando-se). Quando uma conexão específica é usada diversas vezes (por exemplo, dirigir um carro), desenvolvem-se vias neurais que você usa em situações específicas. Essas vias usadas com frequência acabam desenvolvendo uma camada de gordura chamada *bainha de mielina*, que permite que operem em velocidades ainda mais rápidas. Essa corrente de neurônios que dispara conexões elétricas direciona o sistema nervoso a reagir. O sistema nervoso responde produzindo neurotransmissores (tais como serotonina, dopamina e norepinefrina), que permitem que a informação de cada neurônio salte a fenda sináptica entre eles e passe a mensagem para o seguinte. Desenvolver o suficiente dessas vias durante uma atividade específica fará que ela adquira uma segunda natureza (como andar de bicicleta, nem precisamos pensar sobre isso). O cérebro é programado de uma maneira específica.[2] É por isso que podemos dirigir do trabalho para casa na estrada e chegar sem termos pensamentos conscientes de como chegamos lá. Ou como nos secamos quando saímos do chuveiro e nunca pensamos sobre isso. Na verdade, tente pensar conscientemente sobre se secar (ou mudar a forma de fazer isso) e veja o que acontece — é muito estranho.

Essa é uma explicação breve e simplificada de como o nosso cérebro funciona. Mas aonde quero chegar é que aprendemos diversas técnicas de sobrevivência durante a infância. O cérebro fica treinado para sobreviver naquele ambiente. Principalmente em situações de abuso, o cérebro é programado para responder a vários estímulos de formas que podem não ser apropriadas, uma vez que não estamos mais naqueles ambientes estressantes ou perigosos. Em nossa discussão

2 Potter-Efron, Ronald. **Healing the Angry Brain.** Oakland, CA: New Harbinger Publications, 2012. Retirado do capítulo 4.

prévia sobre transtorno por estresse pós-traumático, vimos como os órgãos dos sentidos no cérebro procuram por uma ameaça — que pode ser real ou imaginária — e colocam os neurotransmissores em ação. Se for uma ameaça imaginária semelhante a algo que aconteceu na infância, podemos acabar agindo de maneira inadequada. Infelizmente para pessoas provenientes de ambientes de abuso, seus detectores de perigo geralmente são sistemas de prevenção excessivamente ativos. Eles disparam com muita frequência, e os avisos são intensos demais. Isso significa que qualquer coisa que lembre vagamente uma ameaça pareça catastrófico.

Por exemplo, por um motivo qualquer havia uma reação severa a leite derramado na mesa de jantar quando eu era criança. Com quatro crianças pequenas à mesa, você pode imaginar que havia muito leite derramado por perto. Mais tarde, descobri, quando foi a minha vez de ter crianças pequenas e elas derramavam o leite, que a mesma forte reação era desencadeada em mim. Precisei reprogramar o meu cérebro para não reagir como meus pais reagiam quando o leite derramava. Tratava-se de uma reação instantânea, inconsciente, que não é facilmente controlada por autodisciplina. Recebemos uma onda de adrenalina antes mesmo de saber o que está acontecendo. Se não encontrarmos uma forma de reprogramar o cérebro, corremos o risco de passar essas programações disfuncionais e prejudiciais aos nossos filhos. Devo ter alcançado pelo menos um sucesso parcial, porque os meus filhos crescidos agora acham engraçado e caçoam de mim por causa do leite derramado quase todas as vezes que nos visitam.

Isso quer dizer que, uma vez que essas vias neurais se estabeleçam no cérebro, estamos presos a elas pelo resto da vida?

Bem, sim e não. As vias não desaparecem, embora diminuam quanto menos ativadas são (mais uma vez usando o exemplo de andar de bicicleta — nunca esquecemos como andar; apenas ficamos enferrujados depois de um longo período sem praticar). Mas a boa notícia é que podemos criar novas vias. Na verdade, é mais fácil criar novos padrões no cérebro do que esquecer os velhos (seria muito difícil nos treinarmos a não saber andar de bicicleta). Embora não seja fácil mudar os padrões cerebrais, é possível dada a plasticidade do cérebro. Isso é chamado de *neuroplasticidade* — "a capacidade surpreendente e permanente do cérebro de mudar a forma pela qual os neurônios interagem uns com os outros".[3]

Então, como mudamos padrões de pensamento destrutivos e criamos padrões positivos? Quanto mais usamos os neurônios no nosso cérebro, mais eles recrutam outros neurônios para conectarem-se e criarem novas vias neurais. Como vimos anteriormente, quanto mais essas vias são usadas, mais seu desenvolvimento se estabelece em padrões e hábitos. O que isso quer dizer de forma prática? Digamos que os seus pais abusavam verbalmente de você e estavam sempre irados criticando a todos. Não surpreende que você tenha crescido e se tornado uma pessoa irada e crítica com todos ao redor. Mas agora que você é pai ou mãe, quer que os seus filhos se sintam melhor a respeito deles mesmos do que você se sentia em relação a si mesmo. Você não quer tratar seus filhos como seus pais o tratavam, nem passar esses traços a eles. Você decide que a forma de fazer isso é elogiar sempre que tiver opor-

3 Potter-Efron, Ronald. **Healing the Angry Brain.** Oakland, CA: New Harbinger Publications, 2012. p. 80.

tunidade em vez de sempre encontrar defeitos. Todas as manhãs você se lembra de elogiar e incentivar os seus filhos e faz isso várias vezes todos os dias. Gradualmente isso se torna cada vez mais fácil, e surpreendentemente ser crítico se torna mais difícil.[4] Por fim, você nem precisa mais pensar a respeito. Parabéns! Você acabou de criar novas conexões e redes neurais no seu cérebro.

A princípio, desenvolver essas conexões é um processo difícil e lento, mas, com o uso e a prática, as conexões se estabelecem e "disparam" com muito mais facilidade e rapidez. Pense sobre quando você começou a aprender a tocar um instrumento musical. No início, era dolorosamente lento e difícil. Mas, com o passar do tempo, você melhorou (à medida que os padrões cerebrais se desenvolviam), começou a ser mais fácil e você ganhou habilidade. Às vezes há como que um momento de descoberta, quando dá um clique e tudo parece ir para o devido lugar. Passei por isso na prática de esporte. Em um momento, eu era inepto em uma habilidade e parece que momentos depois era profissional. É claro que houve muita prática entre os dois estágios, mas é assim que desenvolvemos redes neurais no cérebro. Infelizmente, essa teoria por algum motivo não parece funcionar com o golfe.

Você também pode fazer isso. Pode reprogramar novas redes no cérebro para substituir padrões antigos. Para iniciar esse processo é preciso ter uma ideia do que quer fazer de forma diferente. Essa ideia o faz refletir sobre o seu comportamento, o que o leva a mudar repetidamente esses comportamentos de que não gosta ou instituir novos. Você realiza esses novos

4 POTTER-EFRON, Ronald. **Healing the Angry Brain.** Oakland, CA: New Harbinger Publications, 2012. p. 83.

comportamentos todos os dias. (Observação: Não é suficiente desejar abandonar comportamentos antigos; você precisa ter um comportamento positivo em mente pelo qual substituir o antigo.) Essa mudança de comportamento lentamente remodela as redes neurais até que estejam mais voltadas à sua nova forma de pensar. Por fim, elas acabam se tornando a regra, não a exceção, e você percebe que mudou a forma de se comportar — você reprogramou (ou treinou novamente) o seu cérebro. Podemos fazer isso em muitas áreas da vida.

Eis como uma amiga minha disse ter ajudado a reprogramar as influências negativas em seu cérebro:

> O meu pai tinha uma mentalidade ignorante. Ele era desbocado, intolerante, mal-humorado e extremamente desrespeitoso com a esposa. Ele era muito teimoso e amava escolher um assunto para conversar a fim de provar seu ponto de vista; ele basicamente amava discutir. Por ter um ego frágil, com frequência ficava ofendido, deprimido e irado se era criticado de alguma maneira. Sempre que eu repetia uma atitude ou frase que o meu pai costumava usar, imaginava uma forma de lidar com a situação de modo mais saudável. Como quando minha filha de 3 anos teve um acesso de raiva em uma loja e eu a agarrei pela mão, coloquei o meu rosto bem diante dela e disse: "Qual é o seu problema? Pare e engole esse choro ou vou lhe dar um motivo para chorar!". Mais tarde, depois de refletir, odiei o que tinha feito! Era o que o meu pai havia dito e feito durante toda a vida. Escrevi um plano mais saudável para usar se isso acontecesse novamente. Lia-o diversas vezes ao dia e carregava-o na carteira para estar preparada. Acabei com bastante prática porque crianças de 3 anos têm muitos acessos de raiva. Cada novo estágio estressante na minha jovem vida

adulta trouxe para fora palavras e ações que o meu pai costumava usar. Eu precisava constantemente planejar e trabalhar as novas reações. Com muito tempo e trabalho, as reações "instintivas" paternas diminuíram, tornaram-se raras, e finalmente desapareceram.

Entenda, porém, que treinar novamente o cérebro exige dedicação e repetição. Você não pode entrar no processo com uma mentalidade de dedicação "parcial". Você precisa se dedicar e se entregar. Semelhante a parar de fumar ou a se recuperar do abuso de substâncias químicas, medidas parciais não levam a lugar algum. Se não for uma prioridade, você não verá muitos resultados. Além disso, mudança precisa de tempo e esforço. O cérebro desenvolveu alguns de seus antigos padrões ao longo de uma vida inteira. Você não conseguirá mudá-los do dia para a noite. Estou tentando parar de ingerir açúcar. Tenho ingerido açúcar por mais de meio século. Tem sido extremamente difícil mudar esse velho hábito no meu cérebro (principalmente quando não estou tão dedicado quanto preciso estar).

Mudar o processo de pensamento é difícil e leva tempo. Mas reprogramar o cérebro é a única maneira de alcançar mudanças permanentes de comportamento. Uma vez que tenha alcançado, terá dado grandes passos em direção a romper os ciclos geracionais negativos que têm sido transmitidos à sua família. Que forma excelente de se tornar um ótimo pai ou uma ótima mãe, mesmo que não tenha tido o exemplo.

Tomadas de decisão e tendências inconscientes

Também precisamos estar atentos a como nosso inconsciente foi programado, principalmente em relação ao processo de tomada de decisão. Como mencionei anteriormente neste livro, as palavras que nos foram ditas quando éramos crianças pelos adultos da nossa vida têm muito peso. Essas palavras permanecem conosco e acreditamos nelas, mesmo que não sejam verdade. Essa situação nos leva a tomar decisões baseadas em suposições falsas.

Heurística é a teoria de que o processo de aprendizagem é influenciado pelas experiências e por métodos de tentativa e erro que atalham o processo de aprendizagem e nos permitem (forçam) a chegar a uma solução mais rápida. Às vezes isso é bom; outras vezes não tão bom assim. Como exemplo podemos citar o que é conhecido como *priming*. Você pode ativar as pessoas para que tomem determinadas decisões ou ajam de determinada maneira apenas pelas palavras ou pelos estímulos que emprega. Por exemplo, se usa palavras como "bingo", "Flórida" ou "antigo" com determinado grupo de pessoas, eles caminham mais lentamente ao deixar a sala do que quando entraram. Antes de um teste, se você usar palavras como "sucesso", "dominar" ou "realizar" em uma frase, os participantes terão um desempenho melhor. Também funciona com estereótipos negativos. Brooks diz: "Se lembrar estudantes afro-americanos de que eles são afro-americanos antes de realizarem um teste, suas notas serão muito mais baixas do que se você não lhes tivesse dito nada. Em certa situação, americanos asiáticos foram lembrados de sua afiliação étnica antes de um teste de matemática. Eles tiveram resultados melhores. Depois, participantes foram lembrados de que eram mulheres. Os resultados foram piores".[5]

5 Retirado de Brooks, David. **The Social Animal:** Hidden Sources of Love, Character, and Achievement. New York: Random House, 2011. p. 180-181.

Imagine o tipo de decisões e escolhas inconscientes que fazemos se as pessoas usam palavras como "inútil", "burro" ou "perdedor" quando falam conosco e a nosso respeito durante a infância. De que forma essas palavras afetam o modo de encararmos a vida e o nosso nível de sucesso? Com certeza, elas produziriam tendências inconscientes em nós que provavelmente nos levariam a agir de maneiras autodestrutivas ou limitadoras.

Outro tipo de heurística relaciona-se à ancoragem. Por exemplo, quando lojas manipulam as nossas escolhas influenciando o valor que atribuímos ao produto. Por exemplo, uma garrafa de vinho que custa 30 dólares pode parecer cara se estiver cercada por garrafas de vinho que custam 9 dólares, mas parece mais barata cercada por garrafas que custam 149 dólares (é por isso que lojas de vinhos armazenam esses vinhos muito caros que quase ninguém realmente compra).[6]

Uma das consequências para as pessoas que sofreram abuso é que não se sentem muito importantes — elas não se valorizam. Essa atitude geralmente faz que os outros também as valorizem menos. Ao nos compararmos às imagens irreais de nós mesmos produzidas pelos nossos pais (ou por outras pessoas que abusavam de nós), desvalorizamos a nossa vida. Esse é outro motivo para nos associarmos a pessoas saudáveis (que atribuem um alto valor a si mesmas) em vez de as pessoas feridas (que provavelmente desprezam a si mesmas). Por comparação, nos sentiremos melhor em relação a nós. Se nos sentimos melhor

6 Inspirado em Brooks, David. **The Social Animal:** Hidden Sources of Love, Character, and Achievement. New York: Random House, 2011. p. 181.

em relação a nós, os nossos filhos também se sentirão melhor em relação a eles mesmos.

A seguir vem o *enquadramento.* Esse é o momento quando as decisões são influenciadas pelo contexto. Nesse caso, padrões mentais são conectados e julgados em comparação a tudo mais. "Se um cirurgião diz a seus pacientes que um procedimento tem uma taxa de 15% de falha, eles provavelmente desistirão. Se o cirurgião disser que o procedimento tem uma taxa de 85% de sucesso, a tendência é que optem por realizar o procedimento. Se um cliente em um mercado vê algumas latas de sua sopa favorita em uma prateleira, provavelmente colocará uma ou duas no carrinho. Se houver um letreiro dizendo: 'Limite: doze latas por consumidor', provavelmente ele colocará quatro ou cinco no carrinho".[7]

Pessoas que foram forçadas a focar somente em atributos negativos costumam enquadrar suas decisões baseadas nessas suposições irreais. Isso também gera comportamentos autodestrutivos e derrotistas que nos fazem sentir ainda pior em relação a nós mesmos.

As expectativas também têm um papel importante em como as pessoas respondem. Há anos os médicos têm utilizado o "efeito placebo". Se você disser a alguém que um creme de mãos reduz a dor, a pessoa sentirá menos dor mesmo que o creme seja apenas creme para mãos. É por isso que há pessoas que acreditam com convicção que produtos com marcas comerciais tais como analgésicos funcionam melhor do que

7 Inspirado em Brooks, David. **The Social Animal:** Hidden Sources of Love, Character, and Achievement. New York: Random House, 2011. p. 181.

marcas genéricas. O fato de pagarem mais caro por eles gera expectativas maiores de resultados na mente.[8]

Se temos a expectativa de que toda vez que tentarmos algo cairemos ou seremos zombados, por fim acabaremos parando de tentar coisas novas. Como pais, podemos criar expectativas de sucesso ou fracasso nos nossos filhos apenas pelo modo de nos referirmos a algo. Dizer: "Você vai se sair muito bem! Amo quando você tem coragem de tentar coisas novas" transmite uma mensagem muito diferente do que dizer: "Não ficaria entusiasmado. Você nunca foi muito bom nessas coisas". Os nossos filhos costumam superar ou ficar abaixo das expectativas que criamos para eles. Eleve as expectativas. Nem sempre eles as alcançarão, mas terão um desempenho melhor do que se esperasse pouco deles ou se não esperasse nada. Eles também desenvolverão expectativas mais altas para si mesmos.

Falsas concepções

É compreensível que muitas pessoas oriundas de situações de abuso tenham concepções falsas sobre a vida, sobre os relacionamentos e sobre a paternidade. Por exemplo, pessoas que sofreram abuso costumam confundir amor com abuso. Conheço pessoas (quer admitam quer não) que não acham que merecem ser tratadas com amor e respeito. Outras decidem permanecer em situações de abuso ou entram em novos relacionamentos abusivos. Elas podem dizer que desejam um relacionamento saudável, mas suas ações e decisões falam mais alto que suas palavras.

8 Inspirado em Brooks, David. **The Social Animal:** Hidden Sources of Love, Character, and Achievement. New York: Random House, 2011. p. 182.

Quando viemos de um passado tóxico, podemos ter falsas concepções sobre qual deve ser o nosso papel e quais são as nossas responsabilidades como pais. Principalmente quando de repente somos pais e mães, mas ainda nos sentimos uma criança dentro de nós. Até reconhecermos essas concepções falsas, continuaremos a perpetuá-las prejudicando-nos e às pessoas que são importantes para nós. Isso pode ser perigoso, uma vez que pesquisas confirmam que pais que sofreram abuso têm uma maior probabilidade de abusarem de seus próprios filhos.

As responsabilidades dos pais

- Os pais devem prover às necessidades físicas dos filhos.
- Os pais devem proteger o filho de dano físico.
- Os pais devem prover às necessidades de amor, atenção e afeição da criança.
- Os pais devem proteger o filho de dano emocional.
- Os pais devem prover orientações morais e éticas para o filho.[9]

Outra concepção errada que as pessoas têm é que, se não houve abuso físico, não foi realmente abuso. Há muitas formas diferentes de abuso. Não reconhecer que fomos abusados apenas retarda a possibilidade de sermos curados das nossas feridas. Quando não reconhecemos o abuso pelo que ele é, corremos o risco de expor os nossos filhos a esse tipo de abuso.

9 FORWARD, Susan; BUCK, Craig. **Toxic Parents:** Overcoming Their Hurtful Legacy and Reclaiming Your Life. New York: Bantam Books, 1989. p. 31.

A minha mãe comentou certa vez que nunca abusou de nós porque nunca nos bateu a ponto de tirar sangue (ela também afirmava que não era alcoólatra porque bebia apenas cerveja). Tenho certeza de que ela acreditava nisso.

Eis algumas percepções erradas que exibem as pessoas suscetíveis a maltratar um filho. Veja se alguma dessas características é familiar a você:

- *Expectativas paternais irreais em relação à criança* — Estudos descobriram que pais em risco esperam e exigem que seus bebês e crianças se comportem de uma maneira inapropriada ao desenvolvimento da idade. Eles esperam mais do que é razoável para os filhos (por exemplo, esperar que um bebê de 6 meses já tenha deixado as fraldas). Eles têm expectativas que os filhos são incapazes de cumprir. Isso provém de uma falta de conhecimento em relação ao desenvolvimento na primeira infância e das próprias experiências infantis dos pais.
- *Falta de empatia* — Uma segunda característica comum a pais potencialmente abusadores é a incapacidade de sentirem empatia pelas necessidades dos filhos. Quanto mais a pessoa tem consciência de suas emoções, mais pode reconhecer os sentimentos dos outros. Infelizmente, muitas pessoas abusadas enterraram os sentimentos como um mecanismo de sobrevivência. Isso as leva a ignorar as necessidades emocionais dos filhos.
- *Valorizar punição física* — Pais potencialmente abusadores acreditam com convicção no valor da punição física. Esses pais acreditam que os pais não podem se

> "submeter" a bebês e que as crianças precisam saber periodicamente "quem é que manda". Muitas das coisas que os pais abusadores acham que são erradas nos filhos refletem os comportamentos pelos quais eles eram criticados e punidos quando crianças; portanto, a punição carrega a aprovação da autoridade familiar tradicional.[10]

Se você apresenta qualquer uma das falsas concepções anteriores em relação à paternidade, peço que busque ajuda de um conselheiro profissional qualificado. Embora essas atitudes possam parecer razoáveis e corretas no momento, elas são concepções falsas que precisam ser corrigidas.

Muitas pessoas que sofreram abuso pensam que mereciam o abuso a que foram sujeitas porque eram pessoas ruins. Por mais terrível que seja essa conclusão, é menos terrível para uma criança do que acreditar que seu pai ou sua mãe é uma pessoa ruim que não a ama. Permita-me afirmar mais uma vez: VOCÊ não é uma pessoa ruim. O abuso não foi culpa sua. E você não merecia ser abusado. Lembre-se: se alguém o machuca, há algo de errado com essa pessoa, não com você. Pessoas normais não saem por aí destruindo outros seres humanos. Ok?

Superando os nossos medos

Um dos maiores medos que eu tinha antes de ter filhos era que iria "arruinar" os meus filhos. Estava preocupado principalmente com a ideia de ter um filho, porque sabia como seria fácil para mim destruí-lo. Eu era duro comigo mesmo e

10 The Nurturing Parenting Programs. Abusive Parenting and Childrearing Practices, **Juvenile Justice Bulletin**, November 2000. Disponível em: <https://www.ncjrs.gov/html/ojjdp/2000_11_1/page3.html/>.

imaginava quão duro poderia ser com um menininho. Esperei até ter 30 anos para ter o meu primeiro filho, principalmente porque ainda era um homem bastante irado naquele período da vida. Tinha esperança de que, se esperasse o suficiente, eu "milagrosamente" amadureceria e deixaria a dor e a raiva. Isso não aconteceu, mas de fato deu-me tempo para refletir o suficiente e entender alguns dos motivos por que me sentia e agia como agia. Também me permitiu passar por algum aconselhamento a fim de iniciar o processo de cura.

Cometi muitos erros como pai até tornar-me cristão quando os meus filhos tinham 8 e 10 anos de idade. Ainda cometi muitos erros depois daquele período, mas pelo menos era capaz de reconhecê-los e arrepender-me deles. Mas o cristianismo fez muitas coisas por mim. Deu-me um fundamento de informações e princípios morais em que basear as minhas decisões (não apenas as minhas). Deu-me sabedoria comprovada pelo tempo em todos os assuntos, casamento, paternidade, masculinidade e como viver uma vida bem-sucedida. Deu-me um Pai celestial que me amou incondicionalmente, que me perdoou de todos os meus pecados. E introduziu-me a um grupo saudável de pessoas com quem aprender e ser acompanhado. Todas as pessoas que encontrei na igreja eram pessoas boas? Não, certamente não. As igrejas estão cheias de pessoas hipócritas e feridas, assim como eu era. No ministério, fui ferido muito mais por cristãos do que por não cristãos. Mas encontrei muito mais pessoas decentes na igreja do que já havia encontrado em bares ou boates.

Todas as pessoas temem a mesma coisa: rejeição e abandono. Mesmo pessoas que tiveram uma infância boa temem isso. Todos querem ser aceitos, admirados e amados. Mas, quando fomos rejeitados pelos pais (por meio de palavras ou ações), é especialmente doloroso. O medo nos impede de amar outras pessoas por temer que elas nos rejeitem. Não permita que os seus medos dominem a sua vida. Não há razão lógica para pensar que o seu cônjuge ou os seus filhos agirão da mesma forma que seus pais agiram. Pessoas diferentes, circunstâncias diferentes. Não permita que essa concepção falsa — de que todos o trairão da mesma forma que seus pais — impeça-o de dar e receber amor daqueles que merecem. Você fere a si mesmo e a eles quando age segundo essa concepção falsa. É preciso coragem para arriscar-se a ser ferido novamente, mas tenho confiança de que você pode fazer isso.

Os nossos medos são o que mais nos impede de ter uma vida boa. O medo nos paralisa e nos impede de tentar coisas novas e empolgantes. O medo nos impede de viver uma vida que valha a pena.

Rompendo com comportamentos paternais prejudiciais

A paternidade pode trazer para fora o que há de pior na habilidade de criar filhos com eficácia, principalmente para aqueles que desenvolveram tendências perfeccionistas ou têm problemas com questões de controle. Alguns comportamentos prejudiciais incluem paternidade helicóptero, permissividade ou rigidez em excesso. A seguir apresento alguns estilos de paternidade prejudiciais.[11] Esteja atento a tendências que

11 Retirado de ELMORE, Tim. How to Fix Parenting Styles Which May Damage Your Kids, **HowtoLearn.com**, May 26, 2011. Disponível em: <http://www.howtolearn.com/2011/05/how-to-fix-parenting-styles-which-may-damage-your-kids/>.

possa apresentar em qualquer uma destas áreas e busque ajuda para superá-las.

Pais helicóptero são aqueles que pairam sobre os filhos, nunca permitindo que eles falhem. Eles controlam em detalhes a vida dos filhos, nunca permitem que os filhos controlem os próprios horários, suas atividades e experiências na educação, esportes e outras áreas da vida. Isso traz grande prejuízo, pois os filhos não aprendem a importante qualidade da perseverança. Cair, levantar e tentar novamente até obter sucesso não é apenas o melhor professor, mas também desenvolve a autoestima saudável nos filhos. Crianças que nunca falham, acabam falhando em aprender. Por não sofrerem as consequências das falhas, não têm oportunidade de aprender o conceito da responsabilidade — uma exigência para ser bem-sucedido na vida. Esse tipo de pais tem problemas com questões de comando trazidas da própria infância.

Pais caraoquê são aqueles que não apresentam limites e parâmetros claros aos filhos. Eles estão mais preocupados em que os filhos se agradem deles do que os respeitem. Essas crianças fracassam em desenvolver um senso de segurança e autoestima saudável. Crianças precisam de pais que possam respeitar e seguir como exemplo, não que sejam colegas. Esse tipo de pais provavelmente sofre de inseguranças emocionais.

Pais limpeza a seco não proporcionam aos filhos ensino e tempo de convívio pessoal adequados. Eles abdicam de suas responsabilidades paternais e falham em estabelecer relacionamento com os filhos. Com frequência, esses pais são centrados em si mesmos, desligados ou se sentem incapacitados para a tarefa de relacionar-se com os filhos.

Pais vulcão ainda têm sonhos não realizados do passado e tentam realizá-los por meio dos filhos. Todos nós reconhecemos aquele pai que tenta reviver seus dias de glória através do filho. Ou a mãe que tenta recriar um sonho de que desistiu anos atrás por meio de sua filha. Esses pais geralmente têm uma bagagem do passado de que ainda não trataram. Como sempre acontece, as crianças têm mais chance de crescer se seus pais crescerem primeiro.

Pais ausentes falham em proporcionar um modelo saudável de terminar o que começaram ou em proporcionar as ferramentas de que os filhos precisam. Em primeiro lugar, esses pais não eram maduros o suficiente para ter filhos e não estão prontos para a responsabilidade. Infelizmente, os filhos deles acabam não estando preparados para ser lançados ao mundo.

Pais "valentões" não têm a coragem e a força de conduzir crianças de temperamento forte. Os filhos ficam sem a liderança dos pais, uma vez que sua personalidade é mais forte do que a deles. Esses pais não têm a firmeza de "escolher suas próprias batalhas" e de não serem subservientes aos filhos.

Pais tietes falham em perceber que os filhos precisam de líderes, não de servos. Eles dispensam tempo e atenção demais aos filhos, sem nunca lhes negar nada. Isso pode elevar a autoestima da criança a níveis prejudiciais. Esses pais precisam reconhecer que amar os filhos significa tratá-los como pessoas, não ídolos. Eles precisam aprender quando dizer não e ajudar os filhos a entender que não são o centro do Universo. Caso contrário, correm o risco de criar crianças narcisistas.

Pais comandantes estão focados em alcançar submissão e perfeição nos filhos. Seus filhos vivem em ansiedade, frustração e exaustão tentando atender a essas expectativas militares.

Esses pais acreditam que a reputação deles está refletida no desempenho dos filhos.

Finalmente, *pais sobreviventes* são os pais que vêm de um passado de abuso que podem com frequência recriar a disfunção indo longe demais no outro lado do espectro e acabar mimando ou sendo indulgentes em excesso com os filhos. Esses pais agem assim em uma tentativa de pôr os filhos o mais distante possível de qualquer abuso. Contudo, o abuso está presente nos dois extremos do espectro.

Se você reconhecer qualquer um desses padrões no seu estilo de paternidade, encorajo-o a participar de algum curso para pais, a ler livros e encontrar grupos de apoio que o ajudem a compreender o que está acontecendo. Uma das coisas boas da paternidade é que nunca é tarde demais para se tornar um pai e uma mãe melhores.

Do que os filhos precisam e por que motivo

Uma das melhores coisas que podemos fazer para criar filhos bem-sucedidos é estabelecer rotinas de criação. A previsibilidade de uma rotina diária ajuda as crianças a compreender que o mundo é um lugar seguro onde podem aprender e crescer sem temores. Uma vez que isso é algo que falta a muitas pessoas que sofreram abuso, vamos aprender algumas maneiras de implementar essas coisas na vida de seus filhos.

Uma coisa de que as crianças necessitam na vida é segurança. A segurança é imperativa para que as crianças se sintam a salvo e floresçam. Essa segurança significa suprir suas necessidades de abrigo, alimento, roupas, cuidados médicos e proteção do perigo. As crianças precisam saber que podem contar com os pais. Ser confiável e criar uma vida familiar coesa é muito importante para o crescimento saudável dos filhos.

Como ajudar seus filhos a florescerem

- Supra as necessidades diárias (alimentação, segurança, cuidado etc.).
- Proporcione proteção e segurança.
- Dê amor e abraços (afago, abraços, beijos etc.).
- Regue com elogios.
- Sorria para eles.
- Converse com eles (bastante).
- Ouça-os.
- Ensine-lhes coisas novas.
- Cultive seus sentimentos.
- Recompense-os (reforço positivo).[12]

A estabilidade também é importante. Esta consiste em um ambiente doméstico sólido e uma família estendida sem muita confusão. Fazer parte de uma comunidade maior também assegura uma sensação de pertencer. Tente minimizar a desordem na vida dos filhos se coisas como divórcio, perda de emprego ou enfermidade acontecerem.

O cuidado paternal que a criança recebe faz uma grande diferença na vida que vive. Por exemplo, apenas observando a qualidade do cuidado que uma criança recebe aos 42 meses,

12 The 10 Things Kids Need Most, Child, Youth, and Family. Disponível em: <http://www.cyf.govt.nz/info-for-parents/the-ten-things-kids-need-most.html/>.

pesquisadores conseguem predizer com 77% de precisão quais crianças abandonarão a escola no ensino médio.[13]

Assegure-se de que os seus filhos recebam a melhor educação possível para o futuro. Isso inclui a escola, mas também inestimáveis lições de vida passando tempo de qualidade com os pais. Pessoas com quem conversei que superaram abuso e pobreza classificaram a educação como o fator mais importante para seu sucesso.

Estrutura é essencial para crianças. Regras, limites e restrições lhes dão uma sensação de segurança. Sem eles, as crianças são forçadas a crescer rápido demais e perdem o respeito pelos adultos em sua vida. Crianças sem limites (mesmo crianças pequenas) geralmente agem até descobrir onde estão os limites.

E, é claro, o que as crianças mais precisam é simplesmente ser amadas. Amadas incondicionalmente, se possível, mas simplesmente amadas. O amor cobre uma multidão de erros que cometemos como pais. Os nossos filhos não esperam que sejamos perfeitos, mas eles esperam que tentemos ao máximo e que não desistamos.

13 Brooks, David. **The Social Animal:** Hidden Sources of Love, Character, and Achievement. New York: Random House, 2011. p. 67.

7

FILHOS BONS, FILHOS RUINS

> Quando uma criança bate em um adulto, chamamos de hostilidade. Quando um adulto ataca um adulto, chamamos de assalto. Quando um adulto bate em uma criança, chamamos de disciplina.
> — Haim G. Ginott

Muitos pais, especialmente os oriundos de lares disfuncionais, costumam pensar que as escolhas que os filhos fazem são um reflexo deles. Se o filho ganha uma bolsa de estudos, consegue um bom emprego, casa bem e tem filhos bonitos e bem-comportados, nos sentimos muito bem em relação ao nosso trabalho como pais. Mas, se eles abandonarem a escola, entrarem nas drogas e não conseguirem manter-se no emprego, pensamos que somos um fracasso como pais. E certamente, em alguma medida, a forma com que criamos os filhos de fato influencia as escolhas que eles fazem. Mas é importante lembrar que, assim como Deus deu o livre-arbítrio a cada um de nós, ele também deu o livre-arbítrio aos nossos filhos. Isso quer dizer que cada um deles pode fazer suas próprias escolhas, independentemente de como foram criados. É por isso que ótimos pais têm filhos que se rebelam e fazem escolhas ruins e pais terríveis podem ter filhos que alcançam resultados fantásticos. As escolhas ruins não são necessariamente um reflexo seu da mesma forma que suas escolhas ruins não são um reflexo negativo de Deus. Dito isso, se não vamos assumir a responsabilidade pelas escolhas ruins que os nossos filhos fazem, talvez não devêssemos ser tão rápidos em receber o crédito quando eles fazem boas escolhas.

Um dos desafios para as pessoas que vêm de lares onde havia abuso é aprender formas saudáveis de disciplinar. Uma vez que temos a tendência de imitar os modelos que aqueles que cuidavam de nós nos transmitiram, isso se torna um problema para pais nessa situação, especialmente se ainda não foram curados dessas feridas da infância. A mudança de comportamento é um dos aspectos mais importantes da paternidade. Se adequada, ajuda a criar pessoas saudáveis, felizes e bem-sucedidas. Se for inadequada, pode causar muitos problemas durante a infância e mais adiante na vida.

Seguem algumas perspectivas sobre disciplinar os filhos que me ajudaram a mudar os paradigmas que aprendi quando criança.

Disciplina *versus* punição

Assim como muitas pessoas da minha idade, fui criado em uma casa que empregava uma boa quantidade de punição corporal para não fazermos o que não devíamos fazer. O problema com a punição física é que por sua própria natureza é geralmente usada quando os pais estão irados, o que nunca é um bom momento para ensinar uma lição a uma criança. A punição corporal não apenas fere a criança, mas fere os pais e também o relacionamento pais e filhos. Com o tempo, reconheci que, em vez de punição, a disciplina é um caminho melhor para criarmos os nossos filhos.

Também admito que mudei a minha atitude em relação a esse assunto com o passar dos anos. Quando era um pai mais jovem, acreditava que, uma vez que os meus pais usaram a punição e eu me saí bem, então seria algo bom para eles também. Não que os nossos filhos tenham sido submetidos a muitas palmadas (pelo menos não tantas quanto eles acham que foram), mas eu não fazia parte do time que pensa que "qualquer palmada é abuso infantil". Eis por que mudei de opinião sobre esse assunto controverso.

Creio que todos nós queremos criar filhos saudáveis. Uma das formas de fazermos isso é ensinar-lhes formas de viverem um vida bem-sucedida. Ensiná-los a ter consideração e compaixão pelos outros, ser bem-comportados e respeitosos são apenas algumas das características que precisam aprender. Infelizmente, crianças sempre resistem a aprender essas características, por isso precisam ser encorajadas. Podemos "encorajá-las", disciplinando-as ou punindo-as.

O objetivo da disciplina é ensinar, não punir. Se a punição geralmente é realizada com raiva, raramente disciplinamos irados. Punição é algo que fazemos *a* uma criança; disciplina é o que fazemos *por* uma criança. A disciplina usa a lógica e tem o objetivo de ensinar uma lição. A natureza da punição é infligir dor a fim de fazer que uma pessoa jovem queira evitar a consequência desse comportamento no futuro. Isso não quer dizer que uma palmada no bumbum quando uma criança pequena está fazendo alguma coisa perigosa não será lembrada e esse comportamento, evitado no futuro — da mesma forma que, se você xingar um valentão e receber um beliscão no nariz, provavelmente não fará isso novamente. E é claro que crianças pequenas podem ser extremamente desafiadoras. Como pai, sempre pensei que elas deveriam aprender rapidamente que, embora o Leão (eu) fosse bom, mesmo assim era um pouco perigoso desrespeitá-lo. Mas em geral uma forma melhor de disciplinar os filhos é usar a situação como oportunidade de aprendizado, não uma oportunidade para infligir dor.[1]

Recentemente assisti a um vídeo no YouTube de um homem no Oriente Médio batendo em um escravo adulto com um cinto. Foi brutal assistir a isso e causou-me enjoo. Mas não foi tão diferente das experiências de que me lembro de quando criança ser surrado com um cinto. Talvez se cada um de nós fosse forçado a assistir a si mesmo batendo nos filhos, encontraríamos outras formas de disciplina-los. Com frequência ouvimos o provérbio: "Poupe a vara e estrague a criança" usado em relação a corrigir os filhos. Geralmente essa frase é interpretada como se dissesse que, se não usarmos a vara nos filhos, eles acabarão como crianças mal-educadas e mimadas. E crianças que não estão sujeitas à disciplina saudável costumam se tornar monstrinhos insuportáveis. Mas, quando essa passagem foi escrita, a "vara" era usada pelos pastores para

1 Retirado de Foundations Training for Caregivers: Session 5 — Behavior Management, Oregon Dept. of Human Service.

guiarem suas ovelhas (ou mesmo para resgatá-las), não para lhes causar dor.

Além disso, a parte do cérebro (córtex pré-frontal) que controla a tomada de decisões e o controle do impulso não se desenvolve completamente nos seres humanos até que o filho ultrapasse os 20 anos ou mais. Portanto, a punição pode ser contraprodutiva, já que, às vezes, eles podem tomar decisões erradas, mesmo que não tivessem a intenção. Mas, usando técnicas positivas de disciplina, os filhos automaticamente aprenderão a segui-las, não importa o nível de desenvolvimento cerebral. Recompensas positivas são um esquema muito mais poderoso e motivador de aprendizagem do que consequências negativas ou dolorosas. Embora o medo da punição possa ser uma emoção motivadora, ele funciona somente até que a criança fique maior que os pais. A disciplina saudável, no entanto, ensina lições que duram por toda a vida.

Diferenças entre disciplina e punição

Embora a disciplina e a punição possam ter objetivos semelhantes (lidar com o comportamento da criança e aprimorá-lo), elas são muito diferentes nas formas e nas impressões que deixam na criança.

Disciplina	**Punição**
Usada antes, durante e depois do acontecimento	Usada apenas depois de um acontecimento
Ensina	Reforça
Baseada no desenvolvimento e na capacidade de mudança da criança	Não considera a capacidade de mudança da criança

Respeita a criança	Desrespeita a criança
Educa a criança	Causa dor à criança
Ensina autocontrole interior	Conduzida pelo controle exterior
Edifica a confiança	Edifica o ressentimento
Da raiva para o arrependimento	Da raiva para a vingança
Aumenta a autoestima da criança	Diminui a autoestima da criança
Os pais sentem satisfação	Os pais se sentem culpados (talvez)

Empregando a disciplina

Mas isso não quer dizer que as crianças não precisem de orientações e limites. Na verdade, crianças precisam de limites — eles são essenciais para a maturidade saudável. Um estudo de 1967 de Stanley Coppersmith mostrou que os pais que davam mais regras e limites aos filhos tinham filhos com índice de autoestima mais elevado, ao passo que os pais que davam mais liberdade aos filhos tinham filhos com baixa autoestima.[2] Então como usamos a disciplina (em oposição à punição) para ajudar a estabelecer limites saudáveis aos nossos filhos?

Em primeiro lugar, entenda que, se usar a disciplina com regularidade quando seus filhos forem pequenos, será mais fácil discipliná-los mais tarde. Certifique-se de que eles entendem claramente as regras de casa. Nessa fase você precisa dar muitas orientações, treinando-os o tempo todo. Ensinar os

2 McKay, Brett; McKay, Kay. Why You Should Parent Like a Video Game, **Art of Manliness**, August 19, 2014. Disponível em: <http://www.artofmanliness.com/2014/08/19/why-you-should-parent-like-a-video-game/>.

filhos a ouvir e a obedecer quando são pequenos permite que você relaxe as regras à medida que ficam mais velhos. Mas isso dá bastante trabalho quando eles são pequenos.

Todas as formas de disciplina têm componentes comuns que devem ser seguidos:

1. Seja constante e justo. A constância é importante para estabelecer a confiança e ajudar seu filho a entender as suas expectativas. Se você muda as regras a todo momento, não pode esperar que ele saiba quais são elas.
2. Use consequências apropriadas para cada ofensa.
3. Mostre-se unido ao seu cônjuge.
4. Faça mais elogios do que correções. Evite repreensões longas.
5. Molde a disciplina para se adequar à inclinação da criança.
6. Conheça as fases de desenvolvimento que seus filhos atravessam nas diferentes idades.

Quando você estiver pretendendo disciplinar um filho por seu comportamento, leve em consideração alguns fatores para determinar o nível de severidade da disciplina:

- Esse comportamento é típico do desenvolvimento normal na infância? Uma criança de 2 anos agirá como uma criança de 2 anos de vez em quando, não importa que normalmente ela se comporte bem.
- Esse comportamento ocorre em um momento ou horário específico? Se uma criança só se comporta mal ou tem atitudes erradas exatamente antes do jantar,

talvez haja questões como nível de açúcar no sangue ou outros fatores envolvidos.

- Reflita sobre questões como: *Por que uma criança agiria dessa forma? Esse comportamento é típico de outras crianças, ou é específico do seu filho? Esse comportamento é perigoso, destrutivo ou ilegal?* (Certamente qualquer uma dessas três causas garante uma resposta mais forte do que uma infração menor de regras familiares.) *Quais são as consequências a longo prazo desse comportamento?* Refletir sobre essas coisas pode dar a ideia de quão importante é intervir.
- Por fim, fique calmo e escolha as batalhas. Nem tudo é digno de uma batalha. Se você lutar em todas as batalhas, acabará perdendo a guerra.

Uma estratégia que funciona bem para modificar o comportamento das crianças é permitir que participem em planejar as consequências. Isso soa contraintuitivo, mas funciona surpreendentemente bem. Ao definir ou discutir um valor familiar, ouça a opinião dos filhos sobre qual deveria ser a consequência se eles não se comportarem bem. Se você ainda não definiu uma consequência, pode perguntar aos seus filhos o que eles acham que é uma ideia justa e razoável. Isso não quer dizer que você não determina as consequências como pai, mas isso pelo menos ajuda os filhos a assumir a responsabilidade e a unir-se ao planejamento. Sem essa aprovação, as crianças sentem como se não tivessem controle das circunstâncias, e todos nós desejamos ter controle sobre a nossa vida.

A disciplina saudável também deveria ter diversos objetivos em vista. O primeiro é edificar a confiança entre pais e filhos. A confiança é o fundamento de todos os relacionamentos humanos. A falta de confiança em uma pessoa inibe sua capacidade de desenvolver uma consciência. Quando disciplinar o seu filho, não guarde ressentimentos. O prato está limpo e vocês estão começando de novo — semelhantemente a como Deus nos perdoa quando pecamos e pedimos perdão. Ele não traz à tona novamente, mas esquece tudo isso.

O segundo objetivo é desenvolver a autoestima da criança. Se punimos os filhos com muita frequência, eles começam a pensar que são indignos e *incapazes* de serem bons. Como pais, precisamos mudar a crença por trás do comportamento, não apenas o comportamento. Se os nossos filhos acreditam que não são capazes de ser boas pessoas, não importa quanto os disciplinemos, eles ainda não serão capazes de mudar essa percepção — qualquer mudança será apenas temporária. A percepção que nossos filhos têm deles mesmos é a chave para sua atitude, motivação e comportamento. Se acreditarem que são capazes de algo, eles conseguirão; se acreditarem que não são capazes de alguma coisa, nem sequer irão tentar. Embora todas as pessoas tenham valor, aquelas que se consideram inúteis costumam agir como se fossem inúteis.

A seguir devemos ensinar novos comportamentos. Assim como nós, adultos, não sabemos o que não sabemos, os nossos filhos também não sabem. Não se pode esperar que uma criança que nunca foi exposta a uma situação ou não sabe (ou é muito jovem para saber) as regras de uma circunstância nova saiba como agir ou saiba quais são os limites. Parte da tarefa dos pais é ensinar os filhos a como viver uma vida bem-sucedida. A melhor hora de aprendermos é quando cometemos erros. Também é importante compreender que aprendemos em estágios, que o conhecimento é cumulativo. Construímos o entendimento de algo acrescentando ao que aprendemos anteriormente. Com frequência, precisamos repetir os erros para aprender toda a lição. Empregar a punição cria atalhos nesse processo.

A disciplina também permite que os pais ensinem novamente comportamentos negativos existentes. É por isso que nunca é tarde demais para mudar a forma com que você se relaciona com os seus filhos. Até mesmo adolescentes com maus hábitos ou comportamentos estabelecidos podem ser "reprogramados" por meio de uma disciplina coerente e constante.

Por último, a disciplina (em oposição à punição, na qual os pais não têm controle) ajuda os filhos a desenvolver o autocontrole. Ensina-os a pensar por si mesmos e a como agir no futuro quando enfrentarem situações semelhantes. Eles precisam aprender a como se conduzir e a se controlar. Não podemos permanecer 24 horas por dia com os nossos filhos, mas queremos que eles ouçam a nossa voz sussurrando-lhes quando enfrentarem situações que poderiam ser problemáticas ou potencialmente perigosas para eles.

Os três Rs da punição

1. *Ressentimento:* "Isso é injusto. Não posso confiar nos adultos."
2. *Represália:* "Eles estão vencendo agora, mas eu vou me vingar."
3. *Recuo,* em um dos três extremos:
   a. *Rebelião:* "Vou fazer o que eu quero e apenas ser mais cuidadoso para não ser pego da próxima vez.

Tenho o direito de mentir e enganar nestas circunstâncias."

b. *Redução da autoestima:* "Devo ser realmente uma pessoa ruim que merece ser punida. Vou continuar tentando agradar, mas não sou muito bom nisso."
c. *Retraimento:* "Desisto. Não consigo vencer; então por que tentar? Queria que as pessoas só me deixassem em paz."[3]

Lembre-se também de que as consequências devem ser tanto para coisas negativas *como* positivas (boas consequências para situações positivas e consequências ruins para situações negativas). Lembre-se de recompensar os comportamentos que aprova assim como disciplina os que quer corrigir.

Sempre cumpra qualquer consequência que estabeleça por violação das regras familiares. Se você não cumprir (todas as vezes), tudo o que faz ou diz será ignorado. Todos nós conhecemos um pai ou uma mãe que está sempre repetindo: "Esta é a última vez!", ou que continua contando até três inúmeras vezes. Nesses casos, os filhos é que estão no controle do relacionamento.

Se você cumprir as consequências, geralmente precisará apenas de algumas situações para que os filhos parem de testar os limites estabelecidos. Isso funciona, não importa a idade que tenham — mais uma vez, nunca é tarde demais para mudar comportamentos (neles ou em nós). Acima de tudo, queremos relembrar que a disciplina na paternidade exige firmeza, dignidade e respeito quando exercemos autoridade.

3 Glenn, H. Stephen; Nelsen, Jane. **Raising Self-Reliant Children in a Self-Indulgent World.** Roseville, CA: Prima Publishing, 2000. p. 145.

Você não pode forçar os seus filhos a obedecer. Bem, talvez você possa — por um tempo pelo menos, quando são pequenos. Mas eles acabarão se rebelando e desobedecendo a você, nem que seja pelo motivo de que agora podem fazer isso. Além disso, as crianças podem ser complacentes no exterior e ainda serem desobedientes no interior. Esse é um dos motivos pelos quais gritar, ameaçar e ficar repetindo as mesmas coisas são estratégias totalmente ineficazes.

Quando o seu filho tiver 18 anos, provavelmente você não estará por perto o tempo todo para gritar com ele e forçá-lo a tomar a decisão correta. Uma visão mais ampla para criar os filhos é dizer a eles o que espera deles, quais são os benefícios se eles obedecerem e quais as consequências se não o fizerem. Depois, deixe-os escolher. É claro que isso exige que você seja muito diligente e certifique-se de executar as ditas consequências (tanto negativas como positivas). Mas o objetivo é ensiná-los a tomar decisões e saber que cada decisão tem consequências. Essa é uma forma muito melhor de abordar uma vida com êxito — principalmente quando eles saem de casa e de debaixo de sua proteção e orientação.

Alguns de vocês podem ter filhos que são mais desafiadores que outros. Eles podem não ser capazes de aprender as coisas com facilidade, podem ter dificuldade na escola e podem, de modo geral, parecer incontroláveis ou hiperativos e incapazes de manter o foco. Antes de permitir que a escola (ou qualquer outra pessoa) os rotule como portadores de transtorno de déficit de atenção (TDA) ou transtorno de déficit de atenção com hiperatividade (TDAH), você deve levar algumas coisas em consideração. Primeiro, as crianças se desenvolvem de formas diferentes (os meninos geralmente estão alguns anos atrás das meninas pelo menos até a adolescência). Além disso, o formato de educação utilizado pelas escolas públicas geralmente não é favorável à maneira pela qual os meninos aprendem melhor. Meninos geralmente têm dificuldade de se sentar em silêncio por longos períodos de tempo enquanto escutam (ainda tenho essa dificuldade e até onde sei não tenho TDA). Os recreios e intervalos são cortados, o que prejudica principalmente os meninos que precisam liberar a energia reprimida.

Diagnosticar TDAH com qualquer nível de certeza é difícil — primeiro porque os sintomas (distração, impulsividade e hiperatividade) são compatíveis com comportamentos normais em todas as crianças pequenas. O desafio é: A criança está exibindo *excesso* de qualquer uma dessas características para sua idade? Uma vez que todos os pré-escolares exibem esses sintomas, uma criança não deveria ser diagnosticada antes dos 7 anos. Sintomas semelhantes aos do TDAH como distração ou hiperatividade também podem ser causados por uma variedade de condições, inclusive transtornos de sono, ansiedade ou mesmo diferenças culturais.[4]

Além disso, precisamos estar cientes da diferença entre TDA e uma criança distraída. Crianças com TDA não prestam atenção em nada. Crianças que são distraídas prestam atenção em tudo.

Além disso, se o seu filho sofreu algum trauma (que pode ser qualquer coisa, desde passar por um divórcio na

4 DEWAR, Gwen. ADHD in Children: Are Millions Being Unnecessarily Medicated? **Parenting Science**, última atualização em março de 2013. Disponível em: <http://www.parentingscience.com/ADHD-in-children.html/>.

família a ter sofrido algum ferimento físico), ele pode sofrer de alguma forma de transtorno por estresse pós-traumático (TEPT). TEPT e TDAH manifestam sintomas semelhantes em ambientes educacionais, principalmente nos meninos. Entretanto, são assuntos muito diferentes; o primeiro é uma reação física a um acontecimento traumático; o segundo é um desequilíbrio químico. Infelizmente muitas crianças com TEPT são mal diagnosticadas com TDAH e recebem estimulantes como Ritalina, que piora o problema. TEPT é um transtorno de ansiedade (não uma questão de concentração) e é tratado com medicação antiansiedade, que é exatamente o oposto a um estimulante. Você pode imaginar como isso pode causar problemas.

Não estou dizendo que TDA e TDAH não são diagnósticos legítimos em algumas crianças, mas penso que muitas crianças hoje (principalmente meninos) são medicadas simplesmente por serem meninos ou por serem naturalmente barulhentos.

Pais sábios certificam-se de que seus filhos estão protegidos de rótulos desnecessários e imprecisos, de procedimentos médicos e medicações.

Limites

Todas as crianças precisam de limites. Precisam de regras claras, de estrutura e orientação. Florescem sob supervisão firme e orientação. Proporcionamos essas coisas aos nossos filhos por meio da disciplina.

A disciplina apresenta-se de duas formas — interna e externa. A disciplina interna ou a autodisciplina é o que nos esforçamos para ensinar aos nossos filhos aplicando a disciplina externa. A disciplina externa é aplicada de diversas formas — permitindo que sofram as consequências de suas ações, ensinando-lhes os prazeres da gratificação posterior, compreendendo a relação entre trabalho duro e sucesso e desenvolvendo responsabilidade pessoal. Crianças que não estão sujeitas a uma disciplina saudável na infância costumam ter uma vida infeliz e criar o caos na vida dos que estão ao redor. Quando disciplinamos os nossos filhos, estamos na verdade preparando-os para uma vida de muito mais satisfação.

Ensinamos limites e autodisciplina empregando consequências e responsabilização. Permitimos que eles sofram as consequências de suas escolhas e decisões. Isso já pode ser bastante difícil para pais que não carregam um legado de dor. E é ainda mais desafiador para um pai ou uma mãe que foram feridos na infância deixarem que o filho sofra de alguma forma.

Mas, se não prestarmos contas, acabamos criando as nossas próprias regras e códigos de conduta. Crianças pequenas precisam aprender que suas ações têm consequências positivas e negativas. E precisam aprender que suas decisões não afetam apenas elas mesmas, mas também os outros. Infelizmente, responsabilizar os nossos filhos e permitir que compreendam as consequências de suas decisões força-os a sofrer.

Mas sofrimento e superar desafios é um componente essencial para desenvolver poderosas qualidades de caráter em homens e mulheres. A vida é difícil e parece não se importar com as nossas necessidades ou nossos desejos na maioria das vezes. Além disso, as coisas não parecem ficar mais fáceis, não importa quanto cresçamos e amadureçamos. A vida ainda apresenta desafios. O bom é que esses desafios são o que desenvolve o nosso caráter e nos ensinam a ser o tipo de pessoa que pode fazer diferença no mundo.

É impossível atingir grandeza se não houver algum fracasso a superar. O sofrimento desenvolve o caráter. Sem sofrimento, nunca temos a oportunidade de nos testar e ver de que somos feitos.

Se isso é verdade, não é necessário dizer que os nossos filhos precisam sofrer a fim de desenvolver um caráter saudável. Para muitos de nós, o desafio está em permitir que os nossos filhos sofram o suficiente para desenvolver o caráter, mas sem traumatizá-los. Hoje muitos pais "resgatam" os filhos cedo demais, nunca permitindo que enfrentem as consequências das escolhas que fazem. *Pais helicóptero* pairam sobre os filhos sem nunca permitir que assumam riscos saudáveis e possivelmente até se machuquem. Uma vez que é impossível ser bem-sucedido na vida sem correr alguns riscos, essas crianças são psicologicamente prejudicadas exatamente por aquilo que os pais pensam que as está ajudando.

O sofrimento ensina caráter, e mesmo assim, para muitos pais, é impensável permitir que os filhos vivenciem qualquer forma de sofrimento. Muitos que estão lendo este livro sofreram na infância, e o nosso maior desejo é assegurar que os nossos filhos nunca tenham que sofrer como nós. Mas muitos jovens hoje nunca sofreram um único dia na vida, portanto alguns (mesmo aqueles das melhores famílias) se sentem perdidos, desnecessários ou insignificantes, o que pode criar uma série de problemas para um jovem.

Perseverar em meio às lutas nos amadurece e desenvolve uma autoestima saudável. Ajuda-nos a nos sentir valorosos e importantes. As crianças precisam lutar, se por nenhum outro motivo, por este. Elas precisam debater-se com dúvidas e problemas. Isso lhes dá autoconfiança e autoestima para lutar com os problemas até que os resolvam. Elas não precisam ser resgatadas e raramente desejam que lhes deem todas as respostas. Mas realmente desejam ser valorizadas.

Ensine os seus filhos a aprender como sofrer — para que sofram "bem". O sofrimento é um fato da vida — ninguém escapa deste mundo sem sofrer. Aqueles que usam o sofrimento para aprender e crescer são muito mais saudáveis e felizes do que aqueles que chafurdam no desespero.

Os limites são uma boa forma de permitir que os seus filhos "sofram" debaixo de um ambiente protegido. Podemos ensiná-los e guiá-los ao mesmo tempo que estamos permitindo que desenvolvam o caráter necessário para vencer na vida.

Ambiente *versus* genética

Uma área que costumamos negligenciar no desenvolvimento dos nossos filhos é a importância das influências genéticas, especialmente quando comparadas às influências ambientais na vida deles. Não sou particularmente defensor de promover exclusivamente nem a teoria da criação nem da natureza no desenvolvimento humano. Penso que a maioria das pessoas é uma combinação tanto da nossa constituição genética como do ambiente em que fomos criados.

Contudo, recentemente, passei a prestar mais atenção na poderosa influência que o nosso código genético tem sobre o desenvolvimento pessoal. Um exemplo um tanto engraçado são as semelhanças entre mim e o meu pai biológico. Eu o encontrei pela primeira vez quando tinha 24 anos, um ser humano adulto completamente desenvolvido. Além de ser parecido e ter a mesma postura, a minha esposa e a dele têm se divertido ao longo dos anos pelo fato de também termos uma predisposição pelas mesmas roupas, comidas, estilo de sono e inúmeros outros hábitos e comportamentos. Certo dia, o meu pai e sua esposa vieram da Califórnia para nos visitar. Ele e eu estávamos vestindo a mesma camisa de veludo marrom (provavelmente eram as duas únicas no país inteiro). De acordo com a minha mulher e a dele, até os nossos hábitos de higiene pessoal são misteriosamente semelhantes. Claramente, como nunca fui influenciado por ele quando criança, tais idiossincrasias são resultado do código genético que de alguma forma determina o meu comportamento inconsciente, as minhas escolhas e preferências.

Mas observei comportamentos destrutivos atribuídos a alguma forma de marca genética. Muitos de nós estamos cientes dos ciclos geracionais (ou pecados) que ocorrem nas famílias e que são passados de geração a geração. Com frequência isso ocorre por causa de comportamentos ensinados, mas estou convencido de que muitos também são derivados (ou pelo menos influenciados) por nossa constituição genética. Comportamentos ensinados, principalmente pelos principais cuidadores, *são* indicadores muito poderosos dos nossos resultados comportamentais. Por causa dos comportamentos ensinados, vemos com frequência famílias em que o alcoolismo, o abandono ou comportamentos de abuso que foram ensinados pelos pais são imitados e passados de uma geração a outra. Contudo, a genética também parece ter um papel significativo no resultado, principalmente se não temos consciência de sua influência.

Tenho observado esses padrões em muitas pessoas com as quais trabalhamos no ministério. Por exemplo, praticamente todas as mulheres em todas as gerações que tiveram uma mãe jovem — o mais remotamente que conseguem recordar — foram mãe solteira na adolescência. Até mesmo mulheres que não viveram com a família biológica seguiram esse modelo genético. Sabendo dessa tendência, a mãe e o pai dessa jovem estavam determinados a romper esse "ciclo" com sua filha.

Contudo, apesar de a terem criado em um ambiente relativamente saudável com o pai e a mãe estando cientes do desafio que enfrentavam e conversando com ela sobre esse desafio, precisou de muito esforço para impedir que esse legado genético se concretizasse. Era quase como se ela estivesse predisposta a tomar decisões que a levavam a seguir o código genético em seu DNA. Ela estava inclinada a tomar decisões autodestrutivas (e ter atitudes) que refletiam as das mulheres em sua ascendência, apesar de não estar exposta ao modelo de comportamento em sua família de origem. Felizmente ela agora já tem 20 anos, por isso nunca será uma mãe *adolescente*, e esperamos que também nunca seja uma mãe *solteira.* Mas os desafios para ajudá-la a romper o ciclo que estava enraizado em seu DNA ao longo de gerações em sua linhagem foram e ainda são enormes.

Esse fenômeno também é observado em crianças adotadas que agem com comportamentos (abuso de substâncias, promiscuidade, pais solteiros) semelhantes aos pais biológicos, mesmo que nunca os tenham conhecido. Certamente há outros fatores envolvidos no comportamento de crianças adotadas, inclusive questões de abandono, mas muitas crianças criadas em famílias adotivas saudáveis tomam decisões destrutivas na vida misteriosamente semelhantes às escolhas de seus pais biológicos, mesmo que possam não ter qualquer conhecimento desses comportamentos.

Acredito de todo o coração que os modelos da nossa criação são as maiores influências na forma de aprendermos a viver. Mas talvez com mais frequência do que reconhecemos, somos programados ou predispostos a tomar decisões que resultam em consequências que têm como base a nossa herança genética. Estar consciente dessas "tendências" históricas nos permite tomar decisões intencionais para anular tais influências geracionais em vez de cair inadvertidamente em um futuro predeterminado.

Por exemplo, se as mulheres da sua linhagem tivessem tido problemas com vícios ou alcoolismo, haveria grande probabilidade de sua filha ter uma predisposição a ser atraída por essas substâncias. Se os homens tivessem sido alcoólatras ou criminosos, o seu filho poderia ter uma tendência a esses comportamentos. Compreendo que a medicina considera o alcoolismo uma "doença". Quer seja uma doença quer uma escolha (que eu creio), está aberto para debate. Todavia, parece que há um componente genético envolvido.

Além disso, há uma nova pesquisa científica que explica que vários fatores como quanto seu pai bebia ou se sua avó fumava pode ter alterado os seus genes, e isso pode ter sido transmitido para os filhos. *A epigenética* pesquisa como a nossa dieta, as toxinas a que estamos expostos e nossos níveis de estresse no trabalho podem alterar sutilmente o legado genético que passamos aos nossos filhos. Essa pesquisa pressupõe que a nova "epidemia" de transtornos autoimunes, obesidade, autismo e diabetes possam ser determinados pelas substâncias químicas a que os nossos avós foram expostos. Vemos o outro lado dessa questão quando as mulheres grávidas hoje são encorajadas a tomar ácido fólico e vitamina B-12, pois diminuem o risco de asma e defeitos no cérebro e na medula espinhal dos fetos.[5] Dito isso, até mesmo os traumas a que somos expostos quando criança, que alteram as vias neurais no cérebro, são um fator na alteração do nosso reservatório genético. Um grupo de geneticistas da Suíça concluiu que traumas psicológicos precoces podem causar alterações permanentes no cérebro que favorecem o comportamento agressivo, a depressão e a ansiedade na fase adulta. Isso indica que a aprendizagem social pode não ser a única causa desses comportamentos em crianças que sofreram abuso.[6]

A educação é o primeiro passo para romper ciclos geracionais. Estar ciente da sua linhagem e chamar a atenção dos filhos para suas propensões genéticas pode ajudá-los e muito a evitar essas armadilhas. Também ajuda a não ficarmos à espera de alguma tragédia que ocorra inesperadamente. Outras coisas como doença mental, enfermidades, depressão e transtornos alimentares também têm componentes genéticos associados a eles e são tratáveis com aconselhamento e medicação.

Olhe atentamente para a sua herança e para a herança de seu cônjuge. Veja se há ciclos específicos que estão presentes

5 BELL, Chris. Epigenetics: How to Alter your Genes, **The Telegraph**, October 16, 2013. Disponível em: <http://www.telegraph.co.uk/news/science/10369861/Epigenetics-How-to-alter-your-genes.html/>.

6 BLUE, Laura. Childhood Trauma Leaves Legacy of Brain Changes, **Time**, January 16, 2013. Disponível em: <http://healthland.time.com/2013/01/16/childhood-trauma-leaves-legacy-of-brain-changes/>.

ao longo de gerações e que precisam ser resolvidos. Muitas pessoas são pegas desprevenidas por não estarem cientes das armadilhas potenciais no código genético de seus filhos (ou deles mesmos). Não significa que os nossos filhos estejam predestinados a agir de certa maneira; pode ser apenas algo de que você precisa estar ciente para poder desenvolver um plano abrangente em sua criação a fim de que sejam adultos saudáveis.

8

PRÁTICAS SAUDÁVEIS DE RELACIONAMENTO

Com tudo o que aconteceu a você, pode
sentir pena de si mesmo, ou considerar
o que aconteceu como uma dádiva.
Tudo é ou uma oportunidade para crescer,
ou um obstáculo para impedir o seu
crescimento. É você quem decide.
— Dr. Wayne Dyer

Outro desafio para pessoas vindas de lares destruídos ou tóxicos é saber como funciona um relacionamento saudável. Lembro-me de que, quando a minha esposa e eu nos casamos, eu tinha muitas ideias estranhas (percepção tardia) sobre o que era um relacionamento matrimonial e sobre a paternidade. A minha esposa opunha-se e dizia: "Mas isso não é normal!". Na minha ingenuidade, eu respondia: "Sim, é sim. Era assim que fazíamos na minha casa quando eu era criança". É claro que não era um comportamento "normal". Era o comportamento distorcido que serviu de modelo para mim na infância.

Todos nós entramos em relacionamentos com expectativas conscientes e inconscientes provenientes das nossas experiências e do mundo ao nosso redor. Quando procedemos de lares disfuncionais, essas expectativas geralmente são prejudiciais a nós e aos outros e também atingem a forma de criarmos os nossos filhos.

O nosso ministério organiza um acampamento para famílias de mães solteiras quase todos os verões. Convidamos mães solteiras e seus filhos para um acampamento sem custos de um final de semana. Providenciamos mentores homens para brincar com as crianças durante todo o final de semana e também proporcionamos *workshops*, aconselhamento e tempo de descanso para as mães. No primeiro ano que realizamos o acampamento, o retorno das mães nos surpreendeu. Muitas disseram coisas do tipo: "A melhor coisa que recebemos no acampamento foi observar os casais que se voluntariaram para interagir no almoço e no jantar. Os nossos filhos nunca tiveram a oportunidade de ver casais saudáveis conversando, discordando e resolvendo problemas". Agora incluímos o maior número possível de casais voluntários.

Já falamos sobre aconselhamento, portanto vamos conversar agora sobre os aspectos importantes dos relacionamentos. Encontre algumas famílias saudáveis para observar se precisa de um modelo.

A melhor de todas as dicas sobre paternidade? Ame o seu cônjuge

Diversas pessoas diferentes recebem os créditos da citação "O maior presente que um homem pode dar a seus filhos é amar a mãe deles". Eu diria que isso se aplica igualmente às mulheres. Amar o seu cônjuge compensa os muitos erros que cometemos como pais e mães. Acredito que não há nada mais importante para buscarmos como pais. Crianças cujos pais se amam são mais seguras e confiantes em seus papéis na vida. Elas têm menos probabilidade de se divorciar ou de ser pais e mães solteiros.

É verdadeiramente uma dádiva quando ensinamos os nossos filhos a forma saudável de um homem e de uma mulher amar e respeitar um ao outro e como um casal atua em seu papel masculino e feminino como marido e mulher, respectivamente. Assim como os pais são a maior influência como modelo de masculinidade para os filhos, da mesma forma as mães são o maior modelo de feminilidade para as filhas. Uma mãe ensina quais são os papéis de uma mulher na vida, como desempenhar esses papéis e o que é a feminilidade saudável. Uma mãe também é modelo para sua filha de como amar um homem, que nível de respeito um homem merece e qual é o papel da mulher no casamento. Uma esposa feliz, segura e confiante ensina à sua filha coisas boas a respeito dos homens e dos relacionamentos.

Um pai ensina a filhos e filhas como um homem ama uma mulher e como uma mulher deve ser apreciada. A forma de um homem falar com sua esposa é uma lição poderosa para os filhos. Ela ensina os meninos a como devem tratar uma mulher e que nível de respeito ela merece. Diga à sua esposa na frente da sua filha todos os dias que você a ama e gaste tempo elogiando-a por suas boas qualidades. Diga a ele que você aprecia quando ela faz algo por você. Não comente apenas quando ela o decepciona. Busque oportunidades de usar o poder que Deus deu a você para incentivá-la a alcançar o máximo como mulher que Deus planejou para ela. Quando a sua filha vir essas atitudes na prática, ela as internalizará como sendo a forma pela qual uma mulher deve ser tratada. Dessa maneira, ela não se casará, espera-se, com um rapaz que a despreza e desrespeita.

Pessoas casadas também são mais saudáveis, felizes e bem-sucedidas financeiramente do que seus correspondentes solteiros. Ter um cônjuge significa ter alguém com quem contar para ajudar a carregar os fardos da vida e de criar uma família. Apesar do fato de muitas pessoas recitarem o mantra de que o casamento é algo bom para o homem e ruim para a mulher, as pesquisas mostram claramente que o casamento é saudável para ambos os sexos, e a grande maioria das mulheres prospera pelo fato de estar casada. Pessoas casadas são física e emocionalmente mais saudáveis e vivem mais do que seus correspondentes solteiros. Tanto homens como mulheres casados relatam menos depressão e ansiedade e níveis mais baixos de outros tipos de estresse psicológico. Pessoas solteiras têm taxa de mortalidade mais elevada (50% mais elevada para mulheres e 250% para os homens) do que pessoas casadas. As mulheres costumam viver mais quando casadas porque têm mais dinheiro e vivem em bairros melhores com sistemas adequados de saúde (as estatísticas mostram que apenas pouco mais da metade das mulheres solteiras têm plano de saúde, comparado a 83% das mulheres casadas). Os homens casados costumam viver mais porque param com comportamentos de risco como bebidas, drogas, dirigir em alta velocidade (e tendo ingerido substâncias tóxicas) e expor-se a inúmeras situações perigosas. Homens casados também têm uma alimentação muito melhor e têm uma esposa que monitora sua saúde e os obriga a ir ao médico quando necessário.[1]

O seu cônjuge também é o seu maior recurso na paternidade. Uma esposa pode apoiar o marido na frente das crianças, edificando-o e conquistando-lhe o respeito que ele não poderia alcançar sozinho. Quando ela lhe demonstra respeito e reconhece ativamente sua liderança, pode-se ter certeza de que os filhos também reconhecerão. Mas, se ela o tratar com desprezo, os filhos provavelmente não terão muito respeito por ele. Ela também pode mantê-lo informado dos desafios emocionais que as crianças estão enfrentando. Por último, ela é um excelente barômetro para ajudá-lo a aferir como está se saindo como pai.

Um marido pode certificar-se de que a esposa seja respeitada pelos filhos. O pai geralmente é visto como o que zela para que as regras sejam cumpridas na família. Ele tipicamente gera um "temor" inato nos filhos que permite que as coisas funcionem com naturalidade. Você perceberá que, quando o pai está ausente por longos períodos ou emocionalmente ausente, com frequência o caos reina na casa. A autodisciplina arrasta-se, e a rebelião aberta domina. Principalmente quando os filhos entram na adolescência, eles costumam se rebelar contra a autoridade da mãe. O pai pode facilitar essa transição mantendo os filhos na linha e intervindo em conflitos mãe-filha antes que saiam do controle.

É claro que nem todas as famílias funcionam nesse formato. A estrutura da família nuclear tradicional não é mais

1 WAITE, Linda J.; GALLAGHER, Maggie. **The Case for Marriage:** Why Married People Are Happier, Healthier, and Better Off Financially. New York: Broadway Book, 2000. p. 47-67.

tanto a norma. Mães solteiras frequentemente lideram sua família com autoridade, e às vezes a mãe é aquela que reforça as regras na família, mesmo que o pai esteja presente. Mas a posição de um pai planejada por Deus como líder de sua casa lhe concede evidente autoridade. Frequentemente ele não precisa inicialmente conquistar essa autoridade, mas ele só consegue mantê-la conquistando-a.

No entanto, além de tudo isso, o seu casamento é importante, principalmente para os filhos. As crianças necessitam dos estilos complementares de cuidados de uma mãe (afeto) e de um pai (autoridade) para que possam florescer. Esses estilos de amor (baseado no desempenho e incondicional) ajudam a ensinar às crianças traços de caráter e lições de vida de que precisam para serem seres humanos bem-sucedidos. Um dos maiores mitos da nossa cultura é que o divórcio é a melhor coisa para os filhos quando um casamento se torna infeliz — que permanecer casado "por causa das crianças" é um erro.

Uma ampla gama de pesquisas mostra que crianças de lares de pais ou mães sós têm um desempenho bem pior que o de crianças de famílias com ambos pais em praticamente todos os resultados mensuráveis. Infelizmente, de acordo com dados estatísticos do Centro de Controle e Prevenção de Doença, 41% de todos os nascimentos são resultado de gravidez fora do casamento (muito mais elevado em lares de grupos minoritários).[2] Alguns exemplos de como as crianças se saem pior nessas situações incluem:

2 Hymowitz, Kay; Wilcox, W. Bradford; Kaye, Kelleen. The New Unmarried Moms, **Wall Street Journal**, March 15, 2013. Disponível em: <http://online.wsj.com/article/SB10001424127887323826704578356494206134184.html/>.

- Crianças em lares com pais ausentes têm uma probabilidade cinco vezes maior de ser pobres e dez vezes maior de ser extremamente pobres do que crianças que vivem com pai e mãe.
- Crianças com pais ou mães solteiros têm muito maior probabilidade de ser negligenciadas e abusadas sexual, psicológica e emocionalmente.
- Adolescentes de lares de pais ou mães solteiros têm até duas vezes mais risco de usar drogas ilícitas do que adolescentes de lares intactos.
- Meninos entre 14 e 20 anos que cresceram em famílias desfeitas tem duas vezes mais chances de acabar na prisão. Cada ano que um menino vive sem a presença de um pai aumenta as chances de encarceramento futuro em 5%. Um menino filho de uma mãe solteira tem duas vezes e meia maior probabilidade de acabar na prisão do que meninos criados em um lar com pai e mãe.
- Separação ou transições frequentes (divórcio, novos parceiros etc.) aumentam o risco de uma menina ter menarca, atividade sexual e gravidez precoce. Mulheres cujos pais se separaram cedo têm duas vezes mais risco de menstruação precoce, mais de quatro vezes mais risco de relação sexual precoce e duas vezes e meio mais risco de gravidez precoce comparado a mulheres de famílias com pai e mãe. Quanto mais uma mulher viveu com ambos os pais, menor o risco de desenvolvimento reprodutivo precoce.
- Em média, o desempenho educacional em crianças de lares com apenas um dos pais é significativamente inferior. Crianças de lares de pais ou mães solteiros

> têm notas mais baixas em testes e médias mais baixas do que crianças de famílias com o pai e a mãe biológicos. Crianças de lares com apenas pai ou mãe têm duas vezes maior probabilidade de abandonar a escola do que crianças de lares com pai e mãe. Além disso, quase todos os resultados escolares (média de notas, resultado de testes e formatura do ensino médio ou universidade) são em média inferiores em estudantes vindos de lares de pais ou mães solteiros do que estudantes de famílias com pai e mãe.[3]

Faz parte da natureza humana gastar nosso bem de consumo mais precioso — nosso tempo — nas coisas que mais valorizamos. Se queremos ser pais e mães melhores, precisamos focar o nosso tempo e energia no casamento. Precisamos ter casamento "focado no casamento" em vez de casamento "focado nas crianças". É importante que os pais lembrem que o casamento estará presente bem depois que os filhos tiverem partido. E vale a pena ficar juntos a longo prazo. Embora os nossos filhos tenham crescido e partido (a maior parte do tempo), eu ficaria perdido sem a minha esposa. Ela me conhece melhor do que qualquer outra pessoa. Ela se importa comigo mais do que qualquer outra pessoa no mundo. Ela me valoriza mais do que qualquer outra pessoa poderia. Construir esse tipo de relacionamento leva tempo. Não acontece da noite para o dia, nem mesmo em alguns anos. São necessárias décadas.

3 Estatísticas retiradas de JOHNSON, Rick I. Is There a Difference in Educational Outcomes in Students from Single Parent Homes? Concordia University Portland, 2009.

Portanto, como você faz que seu casamento seja à prova de divórcio? Como mantém a intimidade no relacionamento? Há um método simples e perfeitamente seguro. Orem juntos diariamente. É simples assim. É simples, mas não é fácil. Talvez porque seja uma ferramenta tão poderosa, é difícil de iniciar e fácil de abandonar. Uma vez que você para, é ainda mais difícil de reiniciar. Mas eu garanto: não há nada que você possa fazer que aproximará mais você e seu cônjuge do que orar juntos todos os dias. Homens, não tenho certeza por que motivo, mas tem sido essa a minha experiência, e todos os homens com os quais converso confirmam, que, se o marido não iniciar esse processo, provavelmente não acontecerá. Talvez por ser parte do nosso papel como liderança no lar seja necessário que nós iniciemos essa ação.

Comprometimento — a característica mais importante

Praticamente todos os adultos podem realizar o ato físico que gera uma criança. Isso não faz deles pai e mãe. Para ser um bom pai e uma boa mãe é preciso compromisso. É por isso que um padrasto dedicado ou uma madrasta dedicada pode ser melhor do que uma mãe biológica ou um pai biológico que não se envolve.

Compromisso é cumprir as promessas que fizemos, inclusive promessas implícitas, como quando nos comprometemos a ser pais pelo simples fato de nos tornarmos pais. É nosso dever criar os nossos filhos da melhor forma possível. A palavra “dever” carrega um compromisso moral para com alguém ou alguma coisa. Esse compromisso moral resulta em ação, não apenas em um sentimento ou reconhecimento passivo. Estar comprometido com os nossos filhos significa que não apenas estaremos presentes, mas que faremos tudo em nosso poder para sermos os melhores pais possíveis.

> Homens, vocês morreriam por sua esposa e filhos? Eu morreria e acho que a maioria dos homens se sacrificaria de boa vontade em favor da família. Mas você disse à sua esposa e aos seus filhos que morreria por eles? Isso é muito poderoso — saber que alguém se importa o suficiente para morrer por você. Eu me sentiria honrado em saber que alguém morreria por mim.
>
> Encorajo-o a confessar isso à sua família. Eles precisam saber.

O compromisso dos pais (especialmente do pai) é considerado o fator principal no desenvolvimento da autoestima nas crianças. Lembro-me de que, quando os nossos filhos eram pequenos, sempre que a minha mulher e eu tínhamos uma discussão, eles corriam e se escondiam. Quando eu lhes perguntava por que faziam isso, respondiam que estavam assustados. Eles não ficavam assustados porque nossas discussões eram violentas nem porque falássemos em voz muito alta. Eles diziam que ficavam com medo porque muitos de seus colegas da escola tinham pais divorciados. Eles ficavam com medo de que nós nos divorciássemos. Precisei assegurar-lhes (muitas vezes) que estava comprometido a sempre permanecer casado com a mãe deles e que nunca nos divorciaríamos, que eu sempre seria o pai deles, nunca os deixaria e sempre os amaria, independentemente do que acontecesse. Eles precisavam de declarações do meu compromisso a fim de se sentirem seguros.

O nosso ministério trabalha com muitas crianças cujos pais (ou mães) não assumiram esse compromisso. Essas crianças geralmente são assustadas, inseguras e perdidas. E crianças no sistema de famílias de acolhimento perderam o compromisso de ambos os pais. É um destino triste e trágico para essas pobres crianças.

Impedindo que os seus filhos sejam molestados

Precisamos estabelecer limites saudáveis para os nossos filhos, bem como para pais, parentes e estranhos. Sempre fico surpreso com o número de pessoas que foram molestadas por membros da família e depois permitem que essa pessoa tenha acesso não supervisionado aos seus filhos. Pessoas que abusam sexualmente nunca abandonam esse comportamento até serem pegos e punidos. Você também tem obrigação de contar a outros membros da família o que essa pessoa fez. Muitos não acreditarão em você ou se ressentirão por você estar falando, mas você tem responsabilidade de proteger outras crianças para que o que aconteceu com você não aconteça com elas.

Conselhos de molestadores de crianças

- Sou uma pessoa que você conhece, mas não conhece realmente.
- Converse com os seus filhos — avise-os sobre agressores sexuais.
- Eu dificultarei ao máximo para que o seu filho conte a você o que estou fazendo. Facilite para ele — comunique-se, ouça-o, acredite nele.
- Confie no seu filho, não em mim. Ele merece a sua confiança, não eu.

- Ensine-o sobre sexualidade, partes íntimas e "toques secretos".
- Diga-lhe que nunca está certo que alguém os toque ou peça-lhe para ser tocado.
- Diga-lhe que sempre é culpa da pessoa maior e que ele não estará encrencado.
- Diga-lhe que conte a outra pessoa se não consegue contar para você.
- Confie nos seus instintos.[4]

Agressores sexuais se empenham tanto em enganar os adultos como em seduzir e silenciar as crianças. Geralmente são pessoas nas quais confiamos e que os nossos filhos amam. Suas táticas funcionam tão bem que menos de 5% são delatados e processados.[5]

Precisamos falar com os nossos filhos sobre esse assunto. Quantos de vocês esperam ansiosamente para ter essa conversa com os filhos? Nem eu. Eu odiava (e ressentia-me) o fato de que tinha que manchar a inocência dos meus filhos a fim de protegê-los do mal que há no mundo. Mas, se não conversarmos com eles, quem irá? Não apenas isso, mas essa é uma conversa que não acontece uma única vez. Precisamos dar aos nossos filhos conhecimento e informação para que protejam a si mesmos quando não estamos por perto. Precisamos conversar com eles sobre abuso sexual e comportamento ofensivo. Francamente, proteger-se não é função deles, mas nossa.

4 Center for Behavioral Intervention. Protecting Your Children: Advice from Child Molesters, Beaverton, OR. Retirado do panfleto.

5 Ibidem.

Agressores sexuais são muito manipulativos e excelentes mentirosos. Eles são espertos e peritos em conquistar a confiança e a amizade do seu filho. Eles confundem a criança, fazem que ela se sinta responsável pelo que está acontecendo e fazem que desconfiem dos pais. Eles levam a criança a acreditar que entrará em apuros ou que será levada embora e colocada em um abrigo, sem nunca mais poder ver os pais se contar o que aconteceu. Crianças não são páreo para agressores sexuais.[6]

Se o seu filho disser que foi tocado de forma imprópria ou se isso foi proposto a ele, acredite. Crianças dificilmente inventam esse tipo de coisa (apenas 1 a 2% dos relatos são falsos). Elas não têm o conhecimento nem a imaginação. Crianças mentem para *sair* de encrencas, não para se meterem em encrencas. Lembre-se: agressores sexuais também são peritos em conquistar a confiança dos adultos. Eles gostam de incentivar o medo de uma mãe solteira sobre a criança não ter uma figura paterna. Mas, mesmo quando as crianças realmente contam, 52% dos agressores sexuais pesquisados relataram que conseguiram "convencer os adultos a não chamar a polícia".[7] Isso é inaceitável. Essas pessoas não param de atacar. Você tem o dever de proteger outras crianças denunciando tais violações à polícia, mesmo que o agressor seja um parente próximo.

Comunicação saudável

As palavras são importantes. Pessoas que vêm de situações de abuso costumam acreditar nas coisas terríveis que

6 Center for Behavioral Intervention. Protecting Your Children: Advice from Child Molesters, Beaverton, OR. Retirado do panfleto.

7 Ibidem.

lhes disseram. Isso contribui para a forma negativa com que falam sobre si mesmas. Infelizmente, as falas negativas sobre nós mesmos geralmente saem da nossa boca e são ditas a outros ouvidinhos que as aceitam como verdadeiras. Pessoas saudáveis acreditam nas palavras incentivadoras que seus pais lhes falam ao coração, e costumam acreditar em coisas boas sobre si mesmos, mesmo quando acabam em circunstâncias difíceis.

Como dissemos anteriormente, as palavras dos pais têm muito poder sobre seus filhos. Eles ainda se lembrarão de muitos comentários anos mais tarde, coisas que você nem lembra de ter dito. Toda a sua forma de ver a vida pode ser moldada — para melhor ou pior — por alguma coisa que você diga. Sempre que possível, use intencionalmente as palavras para abençoar e edificar — quer você as grite ou as sussurre quer simplesmente as diga como parte normal do dia.

Um dos principais indicadores do sucesso de um jovem é sua percepção da imagem que os pais têm dele. Fale palavras encorajadoras e com isso você edificará os seus filhos, capacitando-os para a vida. Fale palavras negativas e aleijará a alma deles. Infelizmente, a maioria não pensa no que vai dizer antes que as palavras saiam de seus lábios. Principalmente quando estamos aborrecidos, apenas explodimos. Muitas vezes nem queremos dizer o que acabamos dizendo quando estamos irados. Mas os nossos filhos acreditam que seus pais sábios e poderosos sempre falam a verdade.

Às vezes o que não dizemos fala tão alto quanto o que expressamos. Recentemente Suzanne me enviou uma mensagem encorajando-me a abraçar a nossa filha adulta, a dizer-lhe algumas palavras carinhosas e encorajadoras. Ela disse que estivera observando nossa filha ouvir-me falar poderosas palavras de afirmação e amor à nossa neta e sentia que era algo que a nossa filha ansiava em seu coração. Felizmente tenho uma esposa que é sensível a esse tipo de coisa ou provavelmente eu não teria dito nada. Creio que simplesmente penso que as minhas atitudes de provisão, proteção e compromisso de fidelidade automaticamente dizem aos meus filhos que eu os amo. Infelizmente não é assim que as coisas funcionam. Eles precisam ouvir as minhas palavras para internalizar aquilo que creio a respeito deles, palavras que lhes dizem que os amo, que estou orgulhoso deles e que acredito neles. Nunca menospreze o poder da palavra dita. Os seus filhos (e o seu cônjuge) precisam ouvir as palavras "eu te amo" pelo menos uma vez por dia. Se eles não ouvirem essas palavras, não saberão.

Independentemente do que suas ações lhes mostrem, se eles não ouvirem você dizer que os ama, eles não acreditarão que realmente os ama. As crianças precisam ouvir essas palavras com frequência — todos os dias. Muitas vezes por dia é ainda melhor. Mesmo que pareça formal ou desconfortável, experimente dizer palavras que edificam os filhos inúmeras vezes por dia. Uma boa medida é tentar proporcionar cinco "incentivos" para cada coisa negativa que diz. Sei de estatísticas que dizem que talvez seja necessário o dobro desse número para realmente ser eficaz. Mas, se você vem de um ambiente em que coisas positivas nunca eram ditas, é melhor que inicie com um objetivo alcançável. Do contrário, você pode desanimar e desistir. Confie em mim, o esforço vale a pena. Os seus filhos não esperam perfeição. Eles só desejam saber que você se importa.

Temos uma criancinha correndo pela casa agora. Dada a sua natureza freneticamente curiosa, não sei dizer quantas vezes todos os dias lhe digo "não!" ou "não pode!". Isso significa que estou tentando fazer muitas afirmações positivas para compensar todas as negativas.

As palavras ditas às crianças por pessoas importantes para elas geralmente são tomadas como fato, mesmo se não forem verdadeiras. Por isso precisamos ter cuidado com as palavras que usamos e como as usamos. O seu filho provavelmente não acreditaria que é uma lata de lixo, não importa quantas vezes alguma pessoa lhe dissesse que sim. Mas ele acreditaria se *você* lhe dissesse diversas vezes que ele é um lixo. Provavelmente ele também não acreditaria se outras pessoas lhe dissessem que ele é burro. Mas com certeza ele acreditaria que é burro se *você* lhe dissesse que ele é, não importa quão inteligente de fato seja.

Os pais também têm uma influência incrível (positiva ou negativa) em quase todos os aspectos da vida de suas filhas. Uma vez que a filha deseja tão ardentemente garantir o amor do pai, ela acredita naquilo que o pai acredita a seu respeito. Se ele a chama de burra ou incompetente, ela acreditará que é. Mas, se ele diz que ela é inteligente, bonita e talentosa, ela também acreditará nisso. O pai determina como uma menina se sente a seu respeito. Se um pai demonstra amor, respeito e apreciação por quem ela é, ela acreditará nessas coisas a seu respeito quando se tornar mulher, não importa o que os outros pensem. É uma responsabilidade e tanto, rapazes. Não sei dizer quantas pessoas encontro que carregam palavras que as feriram, ditas por seus pais, e que estão guardadas no coração. Os homens geralmente não pensam no que vão dizer antes de falarem. Palavras não significam tanto para nós como as atitudes de uma pessoa. Mas nossas palavras significam muito para os nossos filhos.

Além disso, apenas o tom de voz faz uma grande diferença em como a mensagem é recebida. Palavras ditas aos gritos, com sarcasmo ou raiva são interpretadas de certa maneira pelas crianças. Você pode dizer as mesmas palavras gentilmente ou com amor, e elas significarão algo completamente diferente. Nossos verdadeiros sentimentos interiores sempre saem nas palavras que falamos.

Finalmente, estou convencido de que a melhor ferramenta de comunicação que temos como pais é nos desculpar e pedir perdão quando estamos errados. Isso pode ser difícil para muitas pessoas — inclusive para mim. Mas desculpar-se não corrói nossa autoridade — pelo contrário, desenvolve o respeito dos nossos filhos por nós. Eles sabem quando estamos errados. Quando nos recusamos a reconhecer e nos arrepender, quer tenhamos errado quer pecado, parecemos arrogantes, teimosos e talvez evidentemente ignorantes.

Afeição física saudável

Pessoas vindas de lares abusivos geralmente se sentem desconfortáveis com muita (ou até qualquer) afeição física. Afeição (não sexual) física saudável é extremamente importante para o desenvolvimento de crianças saudáveis. Os filhos precisam ser abraçados e beijados pelos pais com frequência. Fui criado em um lar sem muita afeição física. Quando fiquei mais velho, percebi quanto senti falta disso na minha vida. Quando os meus filhos nasceram, fiz um voto de que lhes daria afeição física o suficiente, mesmo que fosse difícil. E era! Com frequência precisava obrigar-me a abraçá-los e beijá-los, porque não aprendi isso quando criança. Não estava acostumado, era desconfortável. Precisei desenvolver essas vias neurais no cérebro para que essas ações se tornassem mais fáceis. Quando os meus filhos ficaram mais velhos, tornou-se mais fácil; agora com a minha neta parece completamente natural.

Abrace e beije os seus filhos. Dê-lhes muito amor físico. Mesmo quando ficarem mais velhos, continue mostrando-lhes afeição física. Quando o meu filho tinha cerca de 13 anos, ele espichou tanto que acabou mais alto do que eu. Certa vez, quando estávamos caminhando no estacionamento para ir a uma loja, ele pegou a minha mão. Minha reação instantânea foi querer soltar sua mão. Porque, você sabe, homens não dão as mãos em público, não sabe? E ele estava maior do que eu. Mas felizmente segurei aquela reação. Porque ele não era um homem; era um menino — o meu menino. Então seguramos as mãos até a loja, caminhando lentamente. Recebemos alguns olhares estranhos, mas quem se importa. Por algum motivo ele precisava segurar a mão de seu pai. E eu tinha o privilégio de poder satisfazer esse desejo.

As filhas precisam de afeição física tanto quanto os filhos, especialmente dos pais. Meninas anelam afeição física masculina saudável. Se não a receberem na casa do pai, acabarão buscando-a em outra pessoa — provavelmente alguém que você não deseja que lhe dê afeição física. Dito isso, em algum momento (talvez na puberdade), o desejo dela pelo carinho físico do pai pode diminuir. À medida que os hormônios e a confusão de sua sexualidade iminente inundam seu corpo, ela talvez não queira que alguém a toque. Foi o que aconteceu com a nossa filha. Nossa menininha, que antes costumava aconchegar-se a mim no tapete da sala, entrou na adolescência e se tornou mal-humorada, emburrada e esquiva. Aos 14 anos, quando os "alienígenas" invadiram seu corpo, ela não queria que ninguém a tocasse (especialmente eu e seu irmão). Mas aos 18, quando os "alienígenas" de repente desapareceram, ela voltou a seu antigo jeito carinhoso de ser.

Não permita que o seu passado o impeça de dar o poderoso dom da afeição física aos seus filhos. Se você não recebeu carinho ao crescer, sabe como faz falta. Como tudo neste livro, é preciso coragem para superar essa barreira. Mas os seus filhos merecem pais carinhosos e a oportunidade de começar a vida em uma plataforma saudável.

Orando pelos nossos filhos

A melhor coisa que você pode fazer por seus filhos é orar por eles constantemente. Muitas vezes há situações em que como pais tudo o que podemos fazer é orar pelos nossos filhos. Se você já teve um filho no hospital prestes a fazer uma cirurgia, conhece o sentimento de impotência que acompanha essa situação. Ou quando sua filha saiu para um encontro e não voltou no horário combinado. Ou quando um filho adulto se envolve com drogas e se recusa a voltar para casa. Ou uma criança que se perde no mato. Essas são situações em que, como pais, o mais importante que podemos fazer é orar por intervenção divina. Orar por eles regularmente não apenas busca a intervenção de Deus na vida deles, mas também os ensina, e a nós, sobre espiritualidade.

O nosso exemplo de fé é sempre mais poderoso do que as nossas palavras de fé. Se você vive uma vida de serviço dedicado a Deus em humildade e fé, os seus filhos internalizarão esses valores. Se você viver uma vida espiritual hipócrita em que aparenta ser bom exteriormente, mas critica os outros, reclama deles e nunca faz nada para servir a ninguém do lado de fora das portas da igreja, também transmitirá essa atitude aos seus filhos (ou eles perceberão e rejeitarão a fé). Se nunca arriscou nada pela fé, os seus filhos provavelmente nunca viram Deus responder às suas orações.

Então como compartilhamos a fé e a vida de oração que temos com os nossos filhos? Busque exemplos diários ou situações do passado por meio dos quais possa compartilhar aberta e honestamente sua fé e como Deus agiu na sua vida. Não tenha medo de deixar os seus filhos saberem que cometeu erros. Os nossos filhos sabem que não somos perfeitos; portanto, dizer a eles em que áreas lutamos na vida e por que a presença de Deus nos auxiliou é muito importante. Uma das bênçãos de estar no ministério em tempo integral é que Deus é fiel para mostrar a mim e aos nossos filhos os frutos do meu esforço diário. É difícil discutir com fatos concretos e a realidade da ação de Deus. Os pais têm uma tendência de transformar as coisas em lições. Mas às vezes menos é mais, e ações sempre falam mais alto do que palavras. O nosso exemplo em viver uma vida temente a Deus é uma mensagem muito mais poderosa do que qualquer sermão poderia ser.

A oração é uma ferramenta poderosa que os pais têm à disposição. Deixe que os seus filhos vejam e ouçam você orar. Ore com eles nas refeições e na hora de dormir. Ore constantemente pela saúde espiritual, emocional, física e psicológica deles e por sua segurança. Ore para que Deus ponha mentores saudáveis e bons amigos na vida deles. Ore por pureza sexual. Ore pelo futuro cônjuge (e pelos pais dele). Ore por sabedoria e discernimento. E ore pelas decisões do seu filho. Quando os nossos filhos eram adolescentes, Suzanne orava diariamente para que eles fossem "pegos". Ela sabia que eles cometeriam erros e fariam escolhas ruins, mas, se fossem pegos na primeira vez que fizessem algo errado, seriam impedidos de prosseguir e de as consequências se tornarem sérias. Creio que Deus respondeu àquelas orações, pois nossos adolescentes estavam constantemente surpresos por sempre serem pegos toda vez que se desviavam do caminho.

Muitos homens e mulheres acham difícil ser um líder espiritual em casa. Mas a oração é uma forma poderosa de conduzir sua família espiritualmente. As orações de um pai ou de uma mãe por seus filhos são poderosas. Ouvi uma história no rádio algum tempo atrás. Todas as noites o pai de uma menina a colocava na cama, ajoelhava-se ao lado da cama, colocava a mão em sua cabeça e orava em voz alta, pedindo a bênção de Deus sobre ela. Isso aconteceu todas as noites até ela crescer e ir para a faculdade. No Natal, a menina voltou para casa. Quando estava sentada à mesa da cozinha conversando com a mãe, ela perguntou casualmente: "Papai ainda ora por mim todas as noites, não ora?". Sua mãe, chocada, respondeu: "Bem, ele ora. Como você sabia?". A menina disse: "Ainda posso ver a marca de seus joelhos no carpete ao lado da minha cama".

Que escolhas você acha que essa menina fez quando estava longe, na faculdade, sabendo que seu pai intercedia diariamente em seu favor ao Criador do Universo? Suponho que provavelmente ela pensava muito sobre suas próprias escolhas. Deixe-me perguntar algo: quantos de vocês tiveram um pai ou uma mãe que orava em seu favor todos os dias? Se vocês são como a maioria das pessoas com quem converso, uma pequena porcentagem tem pais que agiram assim. Deixe-me fazer outra pergunta: em que você acha que a sua vida teria sido diferente se *tivesse* um dos pais que orasse por você todos os dias? Acho que a minha vida teria sido muito diferente. Se você ora por eles diariamente, a vida dos seus filhos também será diferente.

9

PENSAMENTOS PARA MULHERES:

Por que vocês são importantes?

> A mão que balança o berço é a
> mão que governa o mundo.
> — W. R. Wallace

Mulheres, como mães vocês são muito especiais e muito importantes de muitas formas e para muitas pessoas. A sua família precisa desesperadamente que você esteja curada e sadia. Uma vez que muitas de vocês que estão lendo lutam com a questão do valor de sua vida, apresento alguns pensamentos breves sobre o importante papel que desempenham na vida das pessoas ao seu redor.

Para o seu filho

As mães ensinam aos meninos coisas que eles precisam saber a fim de que sejam prósperos na vida. O exemplo delas ensina-lhes emoções tais como empatia, compaixão, ternura, sensibilidade e amor. Ele aprende sobre sacrifício, bondade, cuidado e amor incondicional observando a sua mãe viver a vida. Ela é um exemplo de mulher, esposa e mãe que ele carregará por toda a vida. É o principal modelo de feminilidade, de como uma mulher ama um homem, de como uma mulher permite ser tratada por um homem e de sexualidade feminina saudável. As mães geralmente são o barômetro de percepção de quanto respeito uma mulher merece de um homem. Os meninos estão cientes da forma com que sua mãe trata seu pai. Muitas vezes isso determina (consciente ou inconscientemente) como esperam ser tratados por sua esposa e geralmente influencia a maneira pela qual eles mesmos tratam a própria mulher.

Não só isso, mas a mãe de um menino tem uma enorme influência em como ele se vê como homem. Ela pode destruir a frágil conexão entre juventude e masculinidade com suas palavras e atitudes. Uma mãe que despreza os homens pode dificultar a vida para um menino. Principalmente para mulheres que foram feridas por homens na vida, e isso pode ser realmente um desafio para um menino.

Por outro lado, uma mãe que respeita e admira a masculinidade saudável pode fazer um menino acreditar que ele foi criado para a grandeza. Por meio de seu poder de afirmação, ela pode incentivá-lo a ser e fazer coisas que nunca poderia sem a poderosa influência da mãe em sua vida. De todos os modos, a mãe de um homem tem uma grande influência em sua vida e em sua masculinidade.

Para a sua filha

As mães são o primeiro e mais importante modelo feminino na vida de uma jovem mulher. Você pode ensinar-lhe o que é a feminilidade autêntica, como uma mulher ama um homem, quanto respeito ela dá a um homem e como uma mulher deve esperar ser tratada por um homem. Você lhe mostra como é o relacionamento com um homem no casamento e com que se parece a sexualidade feminina autêntica e como ela se comporta. Amar e viver com um homem pode ser uma proposta difícil para as meninas que não tiveram esse modelo. Você também é um modelo de mãe para a sua filha — como ela age, o que faz, como ama e cuida dos filhos. Isso é fundamental para o desenvolvimento de jovens meninas em mulheres saudáveis. Uma mãe ensina quais são os papéis de uma mulher na vida, como desempenhar esses papéis e o que é uma feminilidade saudável. Uma mãe também é exemplo para a filha de qual é o papel da mulher no casamento. Uma esposa feliz, segura e confiante ensina às filhas coisas boas a respeito dos homens e dos relacionamentos.

O que significa a influência e o exemplo de uma mãe nas escolhas de vida de uma mulher? Será que a mãe se permitiu ser usada e abusada pelos homens? Ela tinha uma autoimagem saudável? O que ela sentia em relação ao sexo masculino? Ela gostava dos homens, ou tinha amargura e desprezo por eles em geral? A mãe de uma mulher é a luz direcional que guia a menina nos primeiros estágios da vida e é o primeiro exemplo que tem de como uma mulher lida com o casamento, homens, família e a vida. Uma vez que uma menina fundamenta o valor de uma mulher no exemplo de sua mãe e no respeito que o pai dá a esposa, ela precisa respeitar a mãe.

A influência da mãe também pode estar muito relacionada com o tipo de homem que a filha atrai e ao qual é atraída. Certamente ela deu exemplo de como uma mulher deve esperar ser tratada por um homem, de como uma mulher responde a um homem, de como uma mulher cuida dos filhos, de como uma mulher se comporta, de como uma mulher age e se veste e de como uma mulher lida com a vida. Se uma menina admira sua mãe e se espelha nela e considera que ela escolheu bem um homem, então ela foi abençoada. Senão, talvez precise reconhecer de que forma sua mãe influenciou sua perspectiva sobre essas questões e procurar mudar a forma com que ela responde a seus próprios relacionamentos e desafios da vida.

Para o seu marido

Você é especial para seu marido porque o capacita a ser mais do que jamais poderia ser sozinho. O meu jovem filho adulto certa vez me perguntou como ele saberia quando a mulher "certa" aparecesse. Depois de pensar um pouco, o melhor conselho que pude dar a ele foi que essa mulher faria que ele quisesse ser um homem melhor. Ele se sentiria compelido a realizar algo com sua vida a fim de que ela se orgulhasse dele. Ela o encorajaria a lutar pelo sucesso simplesmente com sua presença. Ele *desejaria* trabalhar duro e desenvolver-se a fim de proporcionar uma vida melhor para ela, para sua aprovação.

As mulheres têm uma influência incrível na vida dos homens. O velho ditado: "Por trás de todo grande homem, há uma grande mulher" não é apenas uma hipérbole; é a verdade. Uma mulher pode usar sua poderosa influência para guiar e elevar sutilmente um homem para que ele seja tudo o que foi criado para ser. Ela tem a chave de seu sucesso ou fracasso como homem, marido e pai. Essa influência é delicada, branda e estimulante em oposição à influência masculina mais ousada, evidente. Ela incentiva o homem com inspiração e leva-o a acreditar em si mesmo, acreditar que ele possui grandeza. Sua graça sutil e refinada desperta nele uma paixão que encoraja seu caráter e suas ações. Uma mulher pode ser uma grande influência na vida de um homem, especialmente como encorajadora. Há poucas coisas que um homem autenticamente masculino não tentará realizar ou perseverar se sabe que tem uma esposa que o apoia ou uma mulher que acredita nele. Ele suportará tudo que a vida lhe apresentar se tiver sua esposa ali para encorajá-lo. Há poucos defeitos ou fracassos que ele não poderá aguentar com o apoio positivo de sua estimada esposa. Um homem cuja esposa o respeita caminha orgulhoso e confiante no mundo. Na verdade, um homem geralmente iguala respeito com amor. Quanto mais a esposa o respeita, mais ele se sente amado por ela. Um homem sempre sente como se estivesse sendo julgado pela vida. Se a esposa o estima muito, não importa muito o que o resto do mundo pensa.

Você também é especial por causa de sua capacidade de ser uma doadora e cuidadora. Gênesis 2.18 diz: "Não é bom que o homem esteja só; farei para ele alguém que o auxilie e lhe corresponda". Claramente, os homens são mais bem-sucedidos na vida quando têm uma auxiliadora, uma companheira e alguém que lhe complete ao lado.

Como discutimos no capítulo 8, homens solteiros têm taxas de mortalidade mais elevada do que homens casados. Homens que estão sós, por serem solteiros, viúvos ou divorciados, não se saem tão bem como os homens casados em qualquer das categorias mensuráveis. Homens casados são mais saudáveis e vivem mais do que homens solteiros e têm muito menos risco de sofrer um acidente vascular cerebral (AVC). Homens casados têm um risco 46% menor de morrer de doença cardiovascular do que homens que não são casados. O índice de morte e o risco de problemas médicos como hipertensão, ataque do coração e acidente vascular cerebral aumentam nos homens divorciados. Homens casados também têm uma saúde mental bem melhor do que homens de mesma idade solteiros; homens solteiros envolvem-se com estilos de vida prejudiciais, o que se torna evidente, no mínimo, pelo fato de consumirem duas vezes mais álcool do que homens casados. Os homens encarcerados, na maioria, são solteiros, e a maioria dos crimes é cometida por homens não casados.

Os homens não foram feitos para a solidão. Eles precisam das mulheres para completar e desenvolver sua vida. Mulher, você foi criada de um modo singular por Deus com impressionante capacidade para se relacionar e cuidar dos outros.

E você é especial para o seu marido porque faz dele um pai melhor. Você pode fazer dele um herói aos olhos dos seus filhos e pode fazer que os seus filhos tenham mais respeito por ele do que ele poderia sozinho. E, quando ele tem o seu respeito e admiração genuínos, não há praticamente nada que ele não tente realizar.

Para a sua família

Deus a planejou como mulher para nutrir, alentar, cultivar, alentar muito mais do que um homem. Sem os seus dons nessa área, uma família nunca poderia sobreviver, muito menos florescer. As mulheres são muito mais compassivas do que os homens. Mulheres são mais gentis e carinhosas com as pessoas e seus sentimentos. As mulheres costumam ser mais incondicionais no amor, ao passo que o amor dos homens é mais baseado no desempenho. As mulheres geralmente são mais tolerantes com os outros e com suas faltas do que os homens. As mulheres são mais aptas a sentir compaixão por uma história triste e a resgatar alguém que afirma ter sido maltratado. Elas estão mais sintonizadas com as emoções e são mais sensíveis a mudanças e matizes nos relacionamentos.

Uma mulher tem a capacidade de empatia sempre que alguém está se sentindo mal, para confortar quando alguém está ferido e curar quando está sofrendo. Ela geralmente é cuidadosa, amável, atenta, bondosa, gentil, compassiva, amorosa e sensível. Ela se sente compelida a certificar-se de que as crianças estão seguras, adequadamente alimentadas, limpas e lavadas, com todas as necessidades supridas. Sua presença ajuda as crianças a se desenvolverem e crescerem como hastes de milho vigorosas em solo fértil. Seus instintos de cuidado trazem vitalidade à vida familiar. Seu toque curador sara tudo, desde joelhos arranhados até egos feridos. Sua mansa compaixão suaviza até mesmo a mais horrenda traição.

As mulheres amam encorajar e apoiar outras pessoas em sua busca por significado na vida. Elas amam compartilhar suas experiências de vida umas com as outras. Gostam de ajudar outras pessoas com seus problemas.

As mulheres são aquelas que nutrem a família para que continue funcionando e crescendo. Francamente, o índice de mortalidade provavelmente seria bem mais alto se os homens fossem deixados sozinhos em seus projetos com os filhos.

Há uma frase ótima no filme *Os garotos estão de volta*, estrelado por Clive Owen. Um viúvo e seus dois filhos estão lamentando a morte da esposa e mãe. Enquanto lutam para sobreviver, um deles declara com tristeza: "Somos como em *Esqueceram de mim*; só que somos três".

Mães, vocês são muito especiais, entre outros motivos, porque são doadoras de vida. Deus criou-as para um papel poderoso. Nunca se esqueçam disso.

Espiritualmente

As mães costumam ser aquelas que primeiro expõem os filhos a Deus e à igreja. De fato, as mulheres em geral parecem ser o que atrai os homens à igreja. Quantos jovens começaram a frequentar a igreja e aceitaram Cristo porque uma jovem em quem estavam interessados ia à igreja? Quantos homens foram levados a Cristo por causa do exemplo de sua esposa? Eu conheço vários.

Acho que as mulheres costumam ter um relacionamento mais amplo, profundo e talvez mais pessoal com Deus do que a maioria dos homens. Elas estão mais dispostas a submeter-se à onisciência de Deus e a humilharem-se diante dele. Elas provavelmente têm mais reverência e admiração por ele do que os homens (ou pelo menos estão mais dispostas a admiti-lo por meio de suas ações). Tenho observado que as mulheres costumam orar e adorar com mais profundidade do que os homens. Olhe em volta durante um culto de adoração na igreja — geralmente são as mulheres que estão com as mãos elevadas, os olhos fechados e lágrimas correndo pelo rosto. Elas são capazes de se deixarem levar com mais facilidade a ter comunhão com o Espírito Santo. Talvez porque sejam mais intuitivas, são capazes de aproximar-se do Espírito Santo com mais facilidade do que os homens.

Parece que os desafios da vida costumam levar as mulheres para mais perto de Deus, mas estes afastam ainda mais os homens. Quando a vida me derruba, minha reação inicial é descontar em tudo e todos, inclusive em Deus. Já a reação da minha esposa é ajoelhar-se e orar.

Como as mulheres são mais voltadas para relacionamentos, penso que elas costumam ter um relacionamento mais profundo com Deus. Elas provavelmente são mais capazes de amar ou de estar enamoradas com a imagem masculina de um Pai celestial do que a maioria dos homens. Embora eu tema muito a Deus (o que é o início da sabedoria) e sinto que tenho um relacionamento próximo com ele, geralmente não sinto que ele é meu "amado", meu esposo, o amor da minha alma, confidente ou nenhuma das outras expressões de afeto que as canções de adoração atribuem a ele. Isso provavelmente impede certa intimidade no nosso relacionamento; algo que uma mulher pode ser capaz de acessar mais prontamente. Talvez ter o dom de criar e carregar vida desenvolva uma conexão mais profunda com o próprio Criador.

Mães, vocês são importantes.

10

PENSAMENTOS PARA HOMENS:

Por que vocês são importantes?

Sherman fez a terrível descoberta que todos os homens fazem a respeito de seus pais mais cedo ou mais tarde... que o homem diante dele não era um pai idoso, mas um menino, um menino como ele, um menino que cresceu e teve seu próprio filho e, da melhor forma que pôde, por um senso de dever, e talvez amor, assumiu um papel chamado Ser Pai de forma que seu filho pudesse ter algo mítico e infinitamente importante: um Protetor que manteria uma proteção em todas as possibilidades caóticas e catastróficas da vida.

— Tom Wolfe

Pais, vocês são igualmente tão importantes quanto as mães, apenas de forma diferente. Em primeiro lugar, vocês são

os líderes da família. Vocês podem relutar em assumir esse papel. Podem até negar que ele pertença a vocês. Entretanto, vocês *são* o líder de fato da sua família, quer decidam acreditar quer não. Apesar do que a mídia, o sistema educacional, os amigos dos nossos filhos ou as celebridades tentem projetar na mente e no coração do seu filho, a sua influência como pai supera todas essas outras influências.

Eis o porquê. Você pode pensar que não é muito influente nem muito bem-sucedido na vida. Talvez você não ganhe muito dinheiro, não lidere um grupo grande de pessoas, não salve vidas nem invente bugigangas surpreendentes. Talvez a vida até o tenha derrubado e você tenha perdido a confiança nas suas habilidades. Consequentemente, não se considera um grande ideal. Mas pode apostar que os seus filhos acham que sim. Eles o consideram muito importante. Eles não sabem e não se importam com o que o mundo pensa. Eles sabem apenas que, dentro das quatro paredes de casa, você é a maior, mais sábia e mais poderosa pessoa vivendo ali. Sim, eles sabem que você não é perfeito. Mas eles não se importam, porque você é bom o suficiente para ser indispensável na vida deles.

Seguem alguns motivos por que você é importante na vida das pessoas a quem ama:

Para o seu filho

Os filhos aprendem inúmeras habilidades de um pai que lhe permite navegar com sucesso pela vida. Eles precisam de homens (de preferência o pai) que sejam modelo de certas habilidades de vida para que eles as assimilem em sua própria vida. Sem esse modelo, muitos meninos são deixados sozinhos para compreender como a vida funciona — um processo muito difícil. A seguir apresento algumas áreas em que um jovem precisa do exemplo de um homem ou homens mais velhos.

Como viver a vida: Uma das coisas boas a respeito dos homens é que eles sabem de muitas coisas. Eles sabem fazer coisas e sabem como o mundo funciona. Eles aprendem com suas experiências e por tentativa e erro. Eles aprendem quando são ensinados por homens importantes em sua vida. Ser *capaz* é importante para a nossa autoestima como homens e meninos. Se ninguém nos mostra como fazer algo, como podemos aprender a ser capazes? E, se não nos sentimos capazes, como podemos nos sentir bem sobre a nossa masculinidade? Os filhos aprendem com o pai como o mundo funciona, como viver bem e que habilidades são necessárias para ter êxito na vida.

Como resolver problemas: Meninos e jovens rapazes também precisam ser testados como parte do processo de amadurecimento. O pai está em uma posição especial para aplicar a pressão necessária para que os filhos desenvolvam o caráter. Jovens que nunca são testados pela vida jamais descobrem do que são feitos. Nunca se tornam confiantes e seguros em sua masculinidade. Os desafios amadurecem um homem de uma forma que livros e lições nunca poderão fazê-lo. Se os meninos são resgatados (geralmente por mentores femininos) com frequência demais quando estão crescendo, nunca aprendem a depender de si mesmos nem aprendem as habilidades para progredir na vida. Com muita frequência, um menino precisa de um homem que o ajude a atravessar os espinheiros da masculinidade. Sem essa orientação, muitos meninos e rapazes crescem irados, frustrados, ansiosos e assustados. Muitas vezes eles compensam isso exibindo uma falsa aparência de coragem e autoconfiança. Lembro-me de quando jovem ser irado, defensivo e impetuoso como forma de encobrir as minhas inseguranças. Eu era inseguro porque nunca tive a figura de um pai que me guiasse e ensinasse como resolver os problemas da vida.

A verdade é que, se continuarmos a produzir números cada vez maiores de rapazes irados, acabaremos experimentando um cataclismo apocalíptico na nossa cultura. Quando os meninos não aprendem a resolver problemas na vida, eles dependem de outras pessoas que cuidem deles em vez de cumprirem seus papéis como protetores e provedores às pessoas por quem são responsáveis. Esse fracasso contribui ainda mais para que se sintam um fracasso na vida.

Como um homem encara o mundo: Os meninos precisam que os homens lhes ensinem como o mundo funciona. Sendo um ex-técnico (e espero que futuro) de basquete escolar, penso que uma das coisas que os meus jogadores mais apreciavam era que eu lhes dissesse as expectativas que tinha em relação a eles. Eu ocupava o papel de liderança, dizendo-lhes claramente, não em termos vagos, quando estavam fazendo algo certo e, ainda mais importante, quando estavam fazendo algo errado. É assim que todos nós (especialmente os homens) aprendemos. Quando não sabemos o que se espera de nós, afundamos na incerteza e ambiguidade. Os meninos prosperam especialmente quando sabem seus limites. Esse é um dos motivos pelos quais o esporte é tão atraente para eles. As regras são as mesmas para todos, não há exceções, e as consequências de deixar de seguir essas regras são claras. Elas nivelam o campo de jogo e permitem que os jovens se desenvolvam. Como técnico, sempre quis ensinar uma lição mais importante do que apenas as habilidades e os fundamentos do jogo. Queria ensinar lições de vida sempre que tinha uma oportunidade. Sou abençoado porque muitos ex-jogadores me procuram e me dizem que fiz diferença em sua vida.

Os pais e a disciplina: O pai é especialmente importante em disciplinar os filhos. Pais parecem ter recebido de Deus o manto da autoridade na família. As crianças têm um medo inato do pai que elas não têm da mãe. Especialmente para meninos adolescentes, o pai é o limite que os impede de insistir em sua própria vontade de maneiras que poderiam ser destrutivas para eles e para outros. O pai é visto rotineiramente como aquele que impõe as regras e os valores da família. Raramente vemos membros de gangues que tenham pai amoroso e interessado em casa. Meninos adolescentes podem até mesmo começar a responder à mãe nessa fase de maneiras que nunca responderiam ao pai.

Meninos que não são disciplinados pelo pai não aprendem autodisciplina, o que é um fator importante para a satisfação masculina na vida. Meninos indisciplinados são infelizes e, quando crescem, se tornam homens que decepcionam os outros, principalmente aqueles que estão perto deles.

Como amar uma mulher: O pai é fundamental como exemplo de como um homem deve amar uma mulher. Isso não é algo que acontece naturalmente para a maioria dos homens. Simplesmente observe a diferença entre o modo em que um jovem que cresceu sem modelos masculinos saudáveis trata sua esposa (ou mais frequentemente a amante com quem vive) em oposição a um que cresceu com um pai que amava sua mãe. Entregar-se sacrificialmente por causa de outra pessoa não é uma característica natural masculina. Na verdade, geralmente o oposto é verdadeiro.

Amar uma mulher é um comportamento que precisa ser ensinado aos homens. Aprender a liderar a família de maneira saudável é outro comportamento que precisa ser aprendido que os meninos dificilmente aprenderão em outra fonte.

O respeito que um pai dá à mãe do menino é o nível de respeito que ele pensará que todas as mulheres merecem. Apreciar o valor que uma mulher traz a um relacionamento e à família é outro dom que um pai dá ao filho. Aprender a cuidar de uma mulher e amá-la como ela precisa, não como ele se sente mais confortável, é uma lição que o menino não receberá de nenhuma outra forma, a não ser observando o pai todos os dias. Reconhecer o coração mais terno dela e a devastação que as palavras dele podem causar em uma mulher são ensinadas a um menino por seu pai. E talvez a maior lição que ele transmita seja a habilidade de admitir que está errado, a desculpar-se e pedir perdão.

Se esse comportamento não for exemplificado por um pai, os meninos são deixados sós para atravessarem a vida e as circunstâncias difíceis que enfrentarão. Meninos criados sem um pai estão em grande desvantagem em todas as áreas da vida. Muitos nunca se recuperam e assim espalham destruição e dor por onde passam. Aqueles que se recuperam lutam com alguns problemas por toda a vida. As feridas da paternidade são profundas, são lágrimas entalhadas no peito de um menino que deixam cicatrizes em seu rasto.

Para a sua filha

Os pais receberam uma capacidade tremenda de influenciar a vida das filhas. Um pai é um grande exemplo para a filha das qualidades que ela procurará nos homens e dos padrões que manterá. Ele é o primeiro homem de sua vida e é o exemplo de como um homem deve tratar uma mulher, de como um homem deve agir e de como um homem demonstra amor e afeição saudáveis a uma mulher. Ele também define o padrão de como uma filha sente que merece ser tratada pelos homens. Ele até determina como uma menina se sente a respeito de si mesma.

Os pais também têm um grande impacto no desenvolvimento intelectual, emocional e físico de suas filhas. Crianças pequenas que têm ligação com o pai têm mais habilidade para resolver problemas.[1] Meninas com relacionamentos próximos com o pai alcançam mais sucesso acadêmico.[2] À medida que cresce, a ligação com o pai se torna o fator principal em impedir e atrasar que meninas se envolvam com o sexo antes do casamento e com o abuso de drogas e álcool. Meninas que têm um pai envolvido em sua criação são mais assertivas e têm autoestima mais alta.[3] Além disso, essas meninas também têm habilidades verbais e quantitativas mais altas e desenvolvimento intelectual mais elevado.[4]

Pais que são modelos participativos, amorosos e positivos na vida das filhas lhes dão oportunidade de usar esses traços de caráter como medida para os futuros homens em sua vida.

1 ESTERBROOK, M.; GOLDBERG, Wendy A. Toddler Development in the Family: Impact of Father Involvement and Parenting Characteristics, **Child Development**, vol. 55, 1984, p. 740-752, in: MEEKER, Meg. **Strong Fathers, Strong Daughters.** Washington, DC: Regency Publishing, 2006. p. 23.

2 COLEY, Rebekah Levine. Children's Socialization Experiences and Functioning in Single-Mother Households, in: MEEKER, Meg. **Strong Fathers, Strong Daughters.** Washington, DC: Regency Publishing, 2006.

3 **Journal of the American Medical Association**, 10, September 10, 1997, 823-832, and Greg J. Duncan, Martha Hill, and W. Jean Yeung, Fathers' Activities and Childrens' Attainments, Paper presented at a conference on father involvement, October 10-11, Washington, DC, found in Wade F. Horn and Tom Sylvester, Father Facts 4th, www.fatherhood.org.; in: MEEKER, **Strong Fathers, Strong Daughters.**

4 MEEKER, Meg. **Strong Fathers, Strong Daughters.** Washington, DC: Regency Publishing, 2006. p. 24.

A forma em que um homem trata a esposa fala muito alto a uma menina de como ela deve esperar ser tratada e valorizada mais tarde pelos homens em sua vida. Se seu pai demonstra que valoriza a mãe dela como uma pessoa digna de amor e respeito, a menina esperará isso de seu marido. Se ele exibe um modelo de abuso ou desrespeito pela mãe dela, a menina talvez pense que também merece ser tratada dessa forma como esposa.

Se um pai demonstra amor, respeito e apreciação por quem ela é, ela acreditará nessas coisas a seu respeito quando se tornar mulher, não importa o que os outros pensem.

Uma menininha que possui o amor de seu pai sabe o que é ser incondicional e completamente adorada por um homem. Ela conhece o sentimento de segurança que o amor cria.[5]

Por outro lado, homens que abandonam suas filhas ou abusam delas levam-nas a uma vida de dor, desconfiança e sentimentos de indignidade. Quando o homem se ira ou é desrespeitoso para com as mulheres da família, leva as filhas a esperar esse tipo de tratamento de todos os homens. Se um homem não as sustenta e protege, elas não esperarão esse comportamento do homem com quem estabelecerem um relacionamento. Por que uma mulher se disporia a se casar com um homem que não pode ou não quer ter um emprego para sustentar a família? Por que ela se casaria com um homem que abusa dela ou a abandona? Provavelmente ela não agiria assim intencionalmente. Talvez esse tenha sido o tipo de homem que teve como modelo na infância e ela é inconscientemente

5 MOWDAY, Lois. **Daughters without Dads:** Offering Understanding and Hope to Women Who Suffer from the Absence of a Loving Father. Nashville: Oliver-Nelson Books, 1990. p. 64.

atraída a esse modelo, acreditando que merece esse tipo de tratamento e que é indigna de qualquer coisa melhor.

Outra área em que o pai de uma mulher desempenha um papel importante é em seu processo de decisão sexual. Por exemplo, meninas com um pai ausente ou que não se envolve costumam se tornar sexualmente ativas mais cedo que as meninas com um pai presente. Elas também têm um número maior de parceiros sexuais. Mulheres que não tiveram um modelo saudável de masculinidade na vida geralmente têm dificuldades para identificar predadores, abusadores e homens que as abandonarão. De certa forma, elas são como ovelhas abandonadas aos lobos. Com frequência, essas mulheres permanecem escolhendo o mesmo tipo de homem e chegando aos mesmos resultados repetidamente.

Você ainda acha que não é importante, papai? Pense novamente.

Para a sua esposa

Como marido, você supre muitas necessidades da sua esposa. Talvez, acima de tudo, a esposa tem a necessidade de saber que é amada e desejada. Ela precisa ser assegurada disso com frequência. Se você não lhe diz palavras que confirmam seu amor nem o demonstra através de ações com frequência suficiente, ela ficará *carente*. Não estou falando do tipo de necessidade desesperada por elogios, mas mais como uma planta que não é regada por algum tempo. Aquilo que toda mulher quer saber é: "Ele ainda me ama?". Com os homens, o que *fazemos* sempre fala mais alto do que o que dizemos. Todos os homens sabem que se julga um homem por suas ações, não por suas palavras. Os homens só gastam tempo fazendo aquilo que é importante para eles, não importa o que possam dizer. Se amamos algo (pescar, caçar, arrumar carros velhos etc.), gastamos tempo nessas coisas. Se não gostamos de algo (ir à igreja, fazer compras, cozinhar, limpar a casa etc.), não gastamos mais tempo do que o necessário fazendo isso. Portanto, se dizemos que amamos a nossa esposa, mas não passamos tempo com ela, estamos enviando uma mensagem confusa.

Todas as mulheres anseiam desesperadamente saber que são bonitas. A beleza está no centro de toda feminilidade. Deus fez o rosto e o corpo da mulher para serem admirados e mesmo desejados pelo homem da espécie. Todas as mulheres desejam saber que são bonitas. Até mesmo mais do que desejam, elas *precisam* saber que são desejadas e bonitas. As mulheres geralmente desenvolvem a autoestima por meio dos relacionamentos e de sua aparência física. Deus criou cada mulher naturalmente bela. Rapazes, digam com frequência (todos os dias) à sua esposa que ela é bonita e que vocês a amam. Ela precisa ouvir isso (mesmo que já tenha dito mil vezes) e você ficará feliz por ter dito.

Finalmente, o papel de um marido também é prover cobertura, receber o maior peso da vida. Um dos efeitos que presenciamos ao ver mães solteiras é que essas mulheres são açoitadas pela vida. Precisam encarar a vida e todos os problemas por si mesmas. Elas não têm alguém que as ajude ou que compartilhe as reponsabilidades, que tome decisões, que enfatize as regras ou que faça as tarefas. Até já ouvi feministas extremas reclamando que têm que carregar todos os fardos da vida — precisam tomar *todas* as decisões. Homens, protejam sua esposa das dificuldades da vida. Não se trata de não vê-la em uma posição igual à sua, mas, sim, de que você foi mais planejado e equipado para ser capaz de carregar esses fardos por sua família.

Para a sua família

Ser pai é difícil. Provavelmente é a coisa mais difícil que já fiz. E não parece ficar mais fácil. Quanto mais velhos os meus filhos ficam, mais difíceis e complicadas parecem ser as situações. As minhas experiências com um dos meus filhos raramente parecem relevantes com o filho seguinte. E o que funciona bem em uma situação raramente se aplica à seguinte.

Mas todas as coisas que são verdadeiramente significativas e importantes são difíceis. E quanto mais importantes são, mais difíceis se tornam. É assim que as coisas são, sem dizer que ser pai é a coisa mais difícil que você já enfrentou, provavelmente porque é o papel mais importante e significativo que já assumiu. Certamente, como pai você é indispensável e insubstituível na vida dos seus filhos de maneiras inimagináveis. Eis algumas formas pelas quais você é importante para a sua família:

Como provedor: Prover para os filhos é um dos primeiros e mais básicos papéis que um homem precisa desempenhar. Durante a maior parte da história humana, o papel do homem era caçar e prover sustento para a família. Depois que a fase de caçar-colher passou, os homens cultivavam a terra e, depois da revolução industrial, foram trabalhar em fábricas, mas sempre com a tarefa de prover. Esse papel está arraigado em nós como homens a ponto de, se não provermos sustento, isso nos afetar de forma profunda. Mas, às vezes, prover consiste em mais do que apenas trabalhar mais tempo ou com mais empenho.

Como protetor: Uma parte importante do meu papel de pai é proteger os meus filhos. Não apenas fisicamente, mas também mental e emocionalmente. O pai precisa ser vigoroso para cuidar de sua casa e manter a família em segurança. Os nossos filhos olham para nós como provedores e protetores. Eu estava no consultório médico ontem. Uma menininha (menos de 2 anos?) estava ali para ser vacinada. Quando ela recebeu a injeção, começou a gritar: "Papai, papai!". Depois ela quis que a mãe a consolasse e cuidasse dela, mas seu instinto inicial foi gritar pelo pai para protegê-la do perigo e da dor.

O pai não precisa ser resistente apenas fisicamente, mas também emocionalmente, isso porque o pai proporciona não apenas proteção física, mas também protege contra ataques mentais e emocionais prejudiciais. Mas ser fisicamente resistente e interiormente resistente são duas coisas diferentes. Muitos pais são homens fisicamente fortes que não hesitariam em lutar pelos filhos, mas se retraem e não protegem os filhos da investida do mundo para agarrá-los. Quando o pai é passivo, apático, tímido para intervir ou mesmo apenas indiferente às influências culturais que estão entrando em sua casa, ele está permitindo ser "amarrado" para que sua casa seja saqueada.

Por exemplo, muitos pais não se sentem confortáveis para intervir nas amizades que o filho escolhe. Mas amigos podem causar muitos prejuízos. Muitos pais viram vinte anos de trabalho duro ir por água abaixo pelos filhos terem passado vinte minutos com a pessoa errada. Você não levaria em consideração permitir que uma criança tivesse acesso a um armário cheio de remédios perigosos. Então por que permitiria acesso ilimitado a amigos que podem ser tão perigosos para a saúde quanto qualquer substância química? Você também não permitiria que o seu filho mais velho ficasse perto de cafetões ou traficantes de drogas, mas alguns dos jovens com quem vão à escola já estão envolvidos com essas atividades.

Exposição demasiada à mídia também é danoso para as crianças. Mídia social, televisão, computadores e *video games* em excesso são prejudiciais para o desenvolvimento de cérebros jovens. Sem mencionar a capacidade viciante da pornografia.

Pai, você precisa ser ativo em monitorar as influências externas que estão alcançando os seus filhos. Eles precisam de você — mesmo que digam que não.

Como alguém que prevê: Um provedor não provê apenas bens materiais para os que estão debaixo de seu cuidado. Embora prover as necessidades materiais (alimento, abrigo, roupas etc.) seja parte de seu papel, essa responsabilidade vai ainda mais longe. Também envolve antecipar possíveis ou futuras necessidades inesperadas e, então, suprir essas necessidades, sejam elas materiais, emocionais, psicológicas ou físicas. Significa ter uma "visão prévia" — a habilidade de ver além das circunstâncias atuais e enxergar o futuro. Tais necessidades podem incluir as mais óbvias, tais como reserva financeira para a faculdade dos filhos, dinheiro para o casamento da filha ou economias para a aposentadoria. Ou podem ser mais intangíveis, tais como prever (até mesmo antes dela) a necessidade não mencionada da sua esposa de voltar à faculdade para terminar um curso e ter os fundos e o planejamento para permitir que isso aconteça. Ou antecipar que os filhos talvez passem por atividades perigosas na adolescência, tais como drogas, distúrbios alimentares, autoflagelação, e instruir-se antecipadamente para estar preparado para lidar com isso de modo eficiente *antes* que aconteça. Ou possivelmente antecipando que pode acabar criando os netos um dia. Ser alguém que prevê significa, como homem, que você não é ignorante — mesmo que a nossa sociedade espere que sejamos.

Não consigo lembrar de nenhuma fase da paternidade pela qual eu tenha passado que tenha sido fácil. Francamente, quanto mais velhos são os meus filhos, mais difícil se torna. É difícil ser pai e criar uma família. É difícil liderar uma família, especialmente hoje. Mas a sua família depende da sua força. Ela não pode prosperar sem a sua presença e essência masculina. A sua proteção e provisão mantêm sua família a salvo do perigo, e a sua presença a mantém unida e segura.

Espiritualmente

O pai é um dos fatores mais importantes em relação aos quais uma criança desenvolve a espiritualidade, não apenas ensinando a criança, mas também por sua forma de viver a fé. Mas o pai também é essencial para que uma criança desenvolva ou não a fé. Um grande estudo realizado pelo governo suíço revelou fatos surpreendentes em relação à transmissão geracional da fé e de valores religiosos:

1. Se pai e mãe frequentavam a igreja regularmente, 33% dos filhos acabavam sendo frequentadores regulares e 41% se tornavam frequentadores irregulares.

2. Se o pai fosse frequentador irregular e a mãe regular, apenas 3% dos filhos se tornariam frequentadores regulares, ao passo que 59% se tornariam frequentadores irregulares.
3. Se o pai não fosse praticante e a mãe frequentasse a igreja regularmente, apenas 2% dos filhos se tornariam adoradores regulares e 37% participariam de modo irregular.
4. Se o pai frequentasse regularmente e a mãe fosse irregular ou não frequentasse, entre 38% e 44% dos filhos se tornariam frequentadores regulares.[6]

Não quero sugerir com isso que a mãe não é importante no desenvolvimento espiritual dos filhos, mas talvez os filhos aprendam sobre a vida em casa com a mãe e sobre as concepções do mundo externo com o pai. Ao que parece, se o pai leva Deus a sério, então os filhos também o farão.[7]

Quer queira a tarefa quer não, quer se ache qualificado quer não, pai, você é o professor de teologia da sua casa. Você determina o tom espiritual e o fundamento da casa e provavelmente o sistema de crença que os seus filhos adotarão — pelo menos até que tenham idade suficiente para desenvolver

6 HAUG, Werner; WARNER, Phillipe. The Demographic Characteristics of the Linguistic and Religious Groups in Switzerland, **The Demographic Characteristics of National Minorities in Certain European States**, vol. 2 of Population Studies n. 31. Strasbourg: Council of Europe Directorate General III, Social Cohesion, January 2000, in: CRAVEN, S. Michael. Fathers: Key to Their Children's Faith, **Christian Post**, June 19, 2011. Disponível em: <http://www.christianpost.com/news/fatherskey-to-their-childrens-faith-51331/>.

7 Ibidem.

o próprio sistema, o que acabarão tendo que fazer. Todos os dias você ensina os seus filhos sobre Deus, fé, verdade e sobre a Bíblia por meio das suas ações e palavras. Você não pensou que estava se apresentando para isso quando decidiu ser pai, pensou? Infelizmente, uma vez que está nessa posição, não pode voltar atrás.[8] Porque mesmo sua desistência ensinará algo a seus filhos. E ser passivo ou apático sobre a sua caminhada espiritual os ensina ainda mais.

Uma das funções da fé e da religião é lembrar as pessoas de que elas não são Deus. É por meio do processo de reconhecer e adorar um ser onipotente maior do que você que se desenvolve humildade, fé e força de caráter. Isso é saudável por inúmeros motivos, um deles é que nos impede de acreditar que somos nosso próprio deus. Não apenas isso, mas reconhecer e adorar um Deus santo ajuda a impedir as crianças de se tornarem focadas em si mesmas. Crianças pequenas já parecem saber a respeito de Deus intuitivamente. Elas se surpreendem com tudo o que veem e reconhecem certo elemento espiritual no mundo que os adultos parecem não ver. Estar em submissão a um ser superior é uma forma saudável de viver.

O pai é qualificado de forma especial para ensinar essa lição aos filhos. Homens, lembrem-se de uma coisa: vocês são importantes. O nosso mundo gosta de denegrir os homens e os pais, retratando-os como idiotas. Mas nenhum homem na face da terra é mais importante para seus filhos do que você. E nenhum homem tem mais influência sobre a sua família do que você. Não desperdice essa influência.

8 TRENT, John; JOHNSON, Greg. **Dad's Everything Book for Sons.** Grand Rapids: Zondervan, 2003. p. 153.

CONCLUSÃO

Pais melhores, famílias melhores, mundo melhor

"O princípio mais profundo na natureza humana
é o anseio por ser apreciado." Da infância à velhice,
da nossa própria maneira estamos fazendo as
mesmas perguntas: "Será que alguém me ama?",
"Sou especial para alguém?", "Sou admirado?".
É uma pena que tantas crianças cresçam sem
receber respostas afirmativas a essas perguntas.
— William James, professor de Harvard

No nosso ministério, *Better Dads [Pais Melhores]*, temos um ditado, Pais Melhores = Famílias Melhores = Mundo Melhor. Acreditamos que educando, acompanhando e capacitando pais e mães a melhorar, podemos desenvolver famílias melhores. E famílias melhores definitivamente se traduzem em um mundo melhor.

Como pai e mãe, vocês têm mais influência sobre os seus filhos do que qualquer outra pessoa no Planeta. Tantos pais estão preocupados com as influências externas, mas estudo após estudo mostra que as pessoas com mais influência na vida de uma criança (mesmo de adolescentes) são seus pais. Caso ninguém lhe tenha dito, *você é importante.* Alguns podem rir disso, mas alguns de vocês não sabiam. Talvez você tenha adolescentes e pense que eles são mais influenciados por vídeos e estrelas de cinema do que pelos pais. Essas personalidades certamente têm influências negativas quando seus filhos alcançam a adolescência, mas a sua influência saudável e que transmite vida pode contrabalançar e até compensar as outras. Estudos também mostram que crianças e adolescentes que passam tempo com os pais têm melhor autoestima e melhores habilidades de comunicação interpessoal.

É um estereótipo que adolescentes não querem passar tempo com os pais. A MTV realizou um estudo detalhado de sete meses com jovens de 13 a 24 anos em 2007 e lhes perguntou: "Que coisa na vida deixa você mais feliz?". A resposta mais frequente foi: "Passar tempo com os amigos, com a família e com pessoas amadas".[1] Isso significa que você tem mais influência do que qualquer outra pessoa na vida dos seus filhos.

Mas também significa que precisamos estar dispostos e ser corajosos o suficiente para de fato usar essa influência.

1 MTV and the Associated Press Release Landmark Study of Young People and Happiness, MTV, August 20, 2007. Disponível em: <http://www.prnewswire.com/news-releases/mtv-and-the-associated-press-release-landmark-study-of-young-people-and-happiness-58300137.html/>.

Se estamos ausentes demais ou se temos medo de impor nossos valores e ideais a nossos filhos, perdemos essa influência e desperdiçamos a oportunidade de ensinar-lhes lições de vida valiosas. E, se permitirmos que nossas feridas do passado ditem a forma segundo a qual os criamos, também desperdiçamos esse dom precioso que é influenciar positivamente a vida dos nossos filhos.

Por favor, também reconheça que as suas palavras têm muito poder sobre os seus filhos. Eles ainda se lembrarão de muitos dos seus comentários anos mais tarde. Na verdade, toda a sua forma de ver a vida pode ser moldada — para melhor ou pior — por alguma coisa que você diga. Mesmo na vida cotidiana, os seus filhos responderão muito melhor a palavras positivas do que a crítica, sermões ou importunando-os para que façam o que você quer. Em vez disso, sempre que possível, use as palavras intencionalmente para abençoar e edificar — quer você grite essas palavras ou sussurre-as quer simplesmente as diga como parte normal do dia.

E, antes que esqueçamos, mãe e pai trabalhando juntos são mais poderosos do que qualquer um dos dois individualmente. Quando um homem e uma mulher usam seus próprios pontos fortes para compensar as fraquezas do parceiro, eles se tornam muito mais poderosos como equipe do que como indivíduos. Encorajo-os como equipe a desenvolver um plano para ensinar intencionalmente os seus valores aos seus filhos. Geralmente, quando reagimos (em vez de ser proativos) à vida, perdemos ou lidamos de forma errada com as oportunidades de aprendizado. Os seus filhos e filhas precisam de todo o auxílio e experiência para que se tornem com êxito o homem e a mulher que Deus os criou para ser.

Palavras finais

Finalmente, não fuja! Nunca desista! Você é mais precioso e valoroso do que jamais saberá. Os seus filhos precisam de você, não importa a idade que tenham nem quantos erros você já cometeu. E, apesar de qualquer coisa que já disseram a seu respeito, VOCÊ É IMPORTANTE! As pessoas o amam e dependem de você mais do que jamais perceberá. Você tem muito a oferecer ao mundo. Os desafios pelos quais passou e que superou o qualificaram de forma especial para ajudar outros que estão passando pelos mesmos sofrimentos. Deus realmente tem um plano para a sua vida. O seu passado é passado. É hora de você se tornar tudo o que foi criado para ser. Rompa esses ciclos geracionais. Essa é a forma de vencer e receber justiça pelo que foi feito a você. Você triunfa ao ser o tipo de pai e mãe para os seus filhos que merecia ter tido quando criança. A melhor vingança é viver uma vida saudável. Estou orgulhoso de você — seja abençoado e tenha uma vida sadia!

AGRADECIMENTOS

Assim como em todos os livros, a maior parte do crédito vai para os que trabalham nos bastidores. Pessoas em posições de editores, *copywriters*, equipe de publicidade e *marketing*, pessoal de vendas, administração, *design* gráfico e artístico, funcionários de depósito e do departamento de compras — todos trabalham incansavelmente e raramente recebem o crédito que merecem. Hesito em mencionar nomes porque não quero inadvertidamente deixar ninguém de fora, por isso apenas vou agradecer a todos que trabalham na Revell Books. Posso não o conhecer pessoalmente, mas o aprecio imensamente.

Também gostaria de agradecer a meu Salvador pessoal, Jesus Cristo, por ter me dado cura e perdão. Sem essa graça e misericórdia, hesito em pensar onde estaria hoje — provavelmente morto ou sozinho e viciado em drogas e em outras coisas. Certamente, sei que não seria abençoado em ter a família que tenho hoje e o privilégio de usar minhas experiências de vida para ajudar outras pessoas que se encontram em meio à dor, ao medo, à raiva e à mágoa. Se alguma vez você me ouvir reclamar da minha porção na vida, por favor sinta-se à vontade para me lembrar da bendita compaixão de Deus para comigo.

Por fim, nenhum livro meu é publicado sem um aceno de cabeça e uma piscadela para o amor de minha vida, Suzanne. Sem ela, nada disso seria possível, nem eu me importaria.